G R

EDICIONES **JAGUAR**

EDITOR
Javier RODRÍGUEZ

COORDINACIÓN EDITORIAL
Marisa LÓPEZ DE PARIZA

AUTORA
Sandra PELÁEZ

DISEÑO DE CUBIERTA
Quique TERUEL

MAQUETACIÓN
María FERNÁNDEZ

FOTOGRAFÍA
Oficina de Turismo de Grecia

FOTOMECÁNICA
Disefilm, S.L.

IMPRESIÓN
Artes Gráficas Gáez, S.A.

ISBN: 84-89960-66-6

DEPÓSITO LEGAL: M-27.952-2000

© de la primera edición
© de la reimpresión
EDICIONES JAGUAR, S.A
Laurel, 23. 28005 Madrid
E-mail: jaguar@edicionesjaguar.com

Índice

Grecia: Apuntes Geográficos e Históricos

MARCO GEOGRÁFICO

Grecia, en griego moderno **Hellas**, es la cuna de la sabiduría y el pensamiento occidental. Tierra de Platón y Aristóteles, entre otros grandes personajes, ofrece inmensas posibilidades para sumergirse no sólo en su presente, sino también en su pasado esplendoroso.

La República Helénica ocupa la parte más meridional de la península balcánica, y limita al norte con Albania, Macedonia y Bulgaria, y al este con Turquía. Bañando sus costas se encuentra el mar Jónico al oeste, el mar Mediterráneo al sur y el mar Egeo al este.

Su superficie total es de 131.990 km^2, de los cuales una quinta parte corresponde a islas, que suman más de 2.000. Por ello, es uno de los países europeos con mas kilómetros de costa. Esta disposición del país explica su división política (en 52 provincias o *nomos* y 13 regiones), las dificultades para las comunicaciones terrestres y ciertos rasgos económicos, como escasez de tierras para la agricultura y la ganadería.

Grecia sorprenderá por su belleza natural, con un relieve complejo y variado en el que predomina la montaña en contraste con el mar, siempre cercano y elemento fundamental en la historia de Grecia.

Los montes Pindo recorren la zona central de Grecia de norte a sur, y dividen en dos partes la región. El punto más alto lo encontramos en el monte Olimpo (2.918 m.), punto clave en todas las referencias mitológicas. Existen, a lo largo de este hermoso país, 10 parques nacionales y numerosos enclaves ecológicos. En su flora destaca el pino, el olivo, el ciprés y gran variedad de arbustos. En cuanto a su fauna se pueden observar jabalíes, águilas, buitres y osos pardo.

Grecia es uno de los principales países productores de tabaco de Europa. También destaca por el cultivo de la vid, principalmente en el Peloponeso y en Tesalónica, y por la fruta en general.

El sector ganadero tiene una estructura tradicional destacando el ganado caprino y el ovino,

• Detalle de icono helénico en Cnosos (Creta)

pero no satisface toda la demanda del país.

Su población, alrededor de 10,5 millones de habitantes, se encuentra distribuida de manera muy desequilibrada debido a la concentración en las grandes ciudades como Atenas (alrededor de un 28% de ellos viven en la capital griega), aunque también existe un alto porcentaje de habitantes dividido por todo el país dedicado a la pesca y la agricultura.

Sus gentes son, en general, cercanas y comunicativas, existiendo una gran homogeneidad étnica. El idioma, procedente del griego antiguo y transformado por una larga evolución, junto con la religión (la iglesia ortodoxa griega goza de autonomía propia) son dos grandes aglutinantes de la cultura helénica. Pero no hay que preocuparse demasiado por ello, ya que actualmente la mentalidad griega ha evolucionado bastante, sobre todo de cara al exterior con la llegada masiva del turismo, y en la mayoría de los sitios entienden el inglés, e incluso el italiano en algunas islas, y son comprensivos con las diferencias culturales.

MARCO HISTÓRICO

La mítica historia de la antigua Grecia contrasta con la delicada situación económica actual.

De los asentamientos neolíticos del Peloponeso y Creta llega la herencia de la tradicional cerámica decorada con las famosas grecas. En la isla de Creta fue precisamente donde surgió una de las culturas más importantes del Mediterráneo: la minoica (rey Minos).

En el segundo milenio llegaron tribus que se asentaron en Micenas y destacaron por su orfebrería. Con la desaparición de Micenas fueron surgiendo las ciudades-estado por toda la costa mediterránea.

En esta época aparecen los Juegos Olímpicos, (776 a.C.), destacan las dinastías reales y surgen batallas entre las ciudades más importantes como Atenas, Esparta, Corinto, Argos... Alrededor del 490 a.C.,

estas ciudades llegaron a unirse para luchar contra la invasión persa comandada por el rey Darío. Medio siglo de batallas, como la famosa de Maratón, llevaron a la derrota persa y a la reanudación de la lucha entre las ciudades.

Esas guerras fueron debilitando el poder de las ciudades, hecho que fue aprovechado por Filipo II, rey de Macedonia, para dominar la Grecia continental. Aunque sería su hijo, **Alejandro Magno**, quien ampliaría su reino llegando hasta la India y controlando todos los núcleos griegos, persas y los del sureste mediterráneo. De esta forma, Alejandría sería famosa en todo el mundo.

Con la temprana muerte de Alejandro Magno (356–323 a.C.), víctima de fiebre palúdica y de sus excesos, el imperio quedó dividido entre sus generales, circunstancia que aprovecharon los romanos para atacar y dominar Grecia a mediados del siglo II a.C., pasando a pertenecer así al Imperio de Oriente en el 359 a.C. Con la caída del Imperio Romano, Constantinopla se erigió como capital del Imperio Oriental, no sin dificultades por los frentes abiertos contra varios pueblos invasores. Este desgaste ocasionó la caída de Constantinopla en 1460 y, posteriormente, de Grecia a favor de la invasión y del aplastante dominio turco nada

• La belleza de las playas y el buen clima hacen de Grecia uno de los países más atractivos para el turismo (paisaje de Chania en Creta)

menos que durante cuatro siglos. En este tiempo dividieron Grecia en seis provincias haciéndoles pagar tributos e integrándola dentro del Imperio Otomano con la *Paz de Passarowitz* (1718).

A principios del s. XIX, Rusia, Gran Bretaña y Francia se muestran partidarias de la independencia griega surgiendo enfrentamientos en Constantinopla y venciendo en la batalla de Navarino (1827) a los turcos. La derrota otomana dio paso a un tratado en el cual Grecia se convertía en Estado Independiente.

Tras la independencia griega se sucedieron diferentes y variadas formas de gobierno. Así, el bávaro Otón se proclamó rey de Grecia en 1833, aunque no tardaría en abdicar dando paso a una nueva dinastía con Jorge I, asesinado en 1913. No tardó en estallar otra guerra contra Turquía, pero esta vez Grecia llegó a duplicar su territorio nacional.

Con el rey Constantino (1914) la monarquía se mantuvo neutral durante la I Guerra Mundial, lo que dio pie a una serie de conflictos internos y a la abdicación en su hijo Jorge II, que ante la presión se vio obligado a salir del país en 1924.

En 1935, la mayoría del pueblo aprobó en un plebiscito la vuelta de la monarquía en detrimento de la república militar. En 1938 nació la actual reina de España, Sofía, hija de Pablo I.

Durante la II Guerra Mundial se produjo la invasión italiana con sus consecuentes batallas. El país se convirtió en un envite entre las grandes potencias y no estableció sus actuales fronteras hasta 1947.

Una guerra civil (1947–49) y varios golpes de Estado concluyeron en el reinado de Constantino II, en el cual se aumentaron las relaciones con Europa hasta que otro golpe de Estado en 1967 estableció el "Régimen de los Coroneles", dictadura que secundó tanto USA como Onassis. El rey Constantino tuvo que irse a Roma y Andreas Papandreu fue encarcelado.

La dictadura dejó paso a la democracia parlamentaria en 1974, y posteriormente a su integración en la Unión Europea como uno de los países más pobres en 1981. Este mismo año, el pueblo griego apoya al socialista Papandreu como nuevo jefe de Gobierno hasta que la corrupción le salpica y deja paso, en 1989, a la "Nueva Democracia"y a Karamanlis como presidente un año después. En 1993 Papandreu llega a ser primer ministro. Actualmente, la República Helénica tiene como presidente a Kostas Stefanopoulos y como primer ministro a Simitis.

Atenas

MARCO HISTÓRICO

En palabras de Platón, Atenas fue "la creación del favor y de la providencia de lo divino". En pleno corazón de **la península del Ática**, Atenas debe su nombre a la diosa Atenea (s. XI a.C.) sustituyendo, hasta aquel entonces, al dios protector Poseidón, ya que en esta ciudad historia y leyenda van cogidas de la mano.

Atenas posee una memoria histórica de 4000 años con destacados hallazgos paleontológicos, pero es hacia el 2000 a.C. cuando comienza realmente su historia con innumerables restos arqueológicos y tras una antigua monarquía micénica.

Crisol de culturas, en Atenas converge la historia con los cruces étnicos entre Oriente y Occidente. Así, del s. XI a.C. llegan noticias de agrupaciones que formaban sociedades con estructuras económicas y militares.

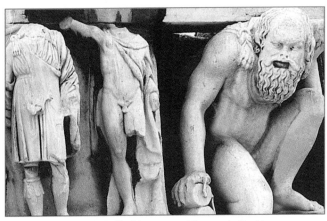

● Atenas. Detalle del proscenio del teatro de Dionisio,
donde se representaban escenas dionisíacas.

Entorno al 1000 a.c., Atenas continua su expansión por todo el territorio del Ática fundando colonias e instituciones, dedicando especial atención al arte y a las ciencias.

Durante el s. VI a.C., Atenas va tomando su configuración casi definitiva con la zona sagrada en el centro de la ciudad, la Plaza Ágora, y los barrios de los artesanos alrededor. Temístocles mandó construir el Largo Muro uniendo la ciudad con el puerto de El Pireo, y más tarde el gran militar y político Perícles lo dotó de un arsenal. Por su parte, Liurco completó el plan urbanístico ateniense en el siglo IV a.C. Atenas es coronada tras la gran Batalla de Maratón (490 a.C.) en la que los griegos se imponen al invasor persa.

La época clásica (s. V a.C.), más conocida como el *Siglo de Oro*, es la etapa más brillante de Atenas en todos los sentidos, sobre todo en las ciencias y en las artes.

A esta época se debe la democracia, la meditación filosófica y política, el Partenón y tantos valores universales que han contribuido al desarrollo de la civilización de Occidente.

La población ateniense era entonces de unos 400.000 habitantes y su influencia fue notable desde Asia Menor hasta España. Tras el Siglo de Oro, Atenas continuó siendo punto de referencia y pasó a ser dominada por Roma, desde el año 200 a.C. hasta el 529 d.C., con toda la influencia y aportaciones que ello supuso.

En 1833, tras cuatro siglos de ocupación turca, Atenas es proclamada capital del entonces Estado Griego. A finales de este siglo, la ciudad va recuperando tanto su esplendor como sus emplazamientos arqueológicos.

La capital de la República Helénica comienza una creciente expansión y un gran auge demográfico debido a varias causas como la apertura del Canal de Corinto, la implantación del ferrocarril y el incremento de refugiados provenientes de los Balcanes.

Actualmente Atenas, con aproximadamente cuatro millones de habitantes, es una metrópolis industrial, con graves problemas de contaminación ("nefos"), y turística, dotada de un magnífico puerto y un impresionante patrimonio histórico.

ATENAS Y SUS ALREDEDORES

En el corazón del Mediterráneo, Atenas ofrece una extensa y variada oferta de lugares y monumentos de interés. Gran parte del recorrido expuesto por la ciudad transcurre en el triángulo formado por la Acrópolis, la Plaza Sintagma y la Plaza Omonia, teniendo como núcleo el barrio de Plaka.

— La Acrópolis —

En el centro de Atenas, sobre una cima de 100 m. de altura y una extensión de 40 hectáreas, se encuentra el recinto arqueológico más importante de Grecia, La Acrópolis (nombre que significa "ciudad alta" o más exactamente "Ciudadela").

La visita obligada y a la vez inolvidable es, sin duda, la ascensión a la Acrópolis. Coronando la colina y con una sensación histórica indescriptible, se disfruta de las magníficas vistas de Atenas y, sobre todo, con la visión única de una de las obras maestras de

• Ascensión a la Acrópolis

la historia de la arquitectura: el Partenón (s. V a.C).

La Acrópolis es el centro de la Grecia antigua y el Partenón es el monumento turístico por excelencia.

Los primeros restos arqueológicos que se conservan de la Acrópolis son fragmentos de cerámica pertenecientes al Neolítico. También se conservan los restos de la muralla de la época Micénica (1200 a.C.).

Los monumentos se usan, sobre todo, como residencias reales hasta el s. XI a.c., en el cual comienzan a levantarse templos de carácter religioso. Será en el s. VII a.c. cuando la Acrópolis adquiera un significado espiritual.

En el 700 a.C se edificó un templo a Atenea con las consiguientes leyendas entre la diosa y Poseidón. La disputa entre ambos por tener la supremacía de Atenas y el Ática finalizó con Atenea como diosa de la ciudad y su olivo sagrado sobrevivió a todos los ataques de la Acrópolis. Desde entonces, los monumentos se levantaron en honor a la diosa Atenea.

El gran conjunto arquitectónico se vería gravemente dañado con la invasión persa (480 a.C). Tras la retirada del invasor se inició un periodo de re-construcción comandado por Temístocles y Cimón. Las ruinas de los antiguos templos se usaron para aplanar el suelo, construyendo la muralla que hoy existe.

Con Pericles (461 a.C.) comenzó la época dorada de la Acrópolis, con la construcción de la mayoría de los edificios que hoy siguen en pie, como el Partenón y los Propileos. Más tarde se levantarían el Templo de Atenea-Nike y el Erection. En el 448 a. C., Pericles fundó una comisión constructora, formada, entre otros por Fidias, con un presupuesto que en la época vendría a rondar los 1.500 millones de pesetas.

Durante la Edad Moderna, estos territorios fueron disputados por turcos y venecianos que causaron gravísimos deterioros en toda la Acrópolis y, muy especialmente, en el Partenón.

Bajo dominio turco (s. XIX), la Acrópolis sufrió un gran expolio en el que parte de sus tesoros fueron divididos entre el Museo Británico de Londres y el Museo del Louvre de París.

Durante el s. XX, el deterioro ha venido originado por la contaminación, las vibraciones de los aviones y los más de tres millones de turistas al año. Actualmente se tiene prohibido el acceso al interior de los templos.

Hoy en día, la Acrópolis sufre el llamado "mal de piedra", fenómeno que destruye y carcome la estructura de los monumentos.

La visita comienza desde la Puerta Beulé, que recibe su nombre del arqueólogo francés que la descubrió en 1852. Al otro lado de ella aparece una gran escalinata que conduce a la Acrópolis donde se sigue disfrutando del recorrido:

— El Partenón —

En primer lugar se construiría el Partenón, templo principal de Atenas y máximo exponente de la Grecia clásica, construido entre el 477 y el 432 a.C.

La comisión constructora que comandaba Perícles estaba constituida por Ictinios, que proyectó los planos, Cariclates, que dirigió la construcción, y Fidias, que llevó a cabo la decoración y la escultura.

Una gran base rectangular de 70 x 30 m. da paso a 47 estatuas de estilo dórico de más de 10 m. de alto. Frisos labrados y esculturas en los frontales rematados con un techo de madera artesanado y policromado sobre paredes de rojo oscuro en su interior da idea de esta majestuosa obra.

En el centro del templo estaba situada la estatua de Atenea Partenas (esculpida por Fidias) con 15 m. de altura y realizada en oro y marfil.

• El Partenón es el monumento turístico por excelencia

• Detalle del friso del Partenón

El templo se dividía en dos estancias desiguales. Una, el opostidomos donde se guardaban los tesoros, y otra el hecatómpedon, debido a los 100 pies áticos que medía.

El nacimiento de Atenea está representado en uno de los frontones, mientras que otro refleja la lucha entre Atenea y Poseidón por el dominio de Ática.

Entorno al año 1450, los turcos convirtieron el Partenón en mezquita. Cuando se vieron sitiados por los venecianos llevaron allí tanto a sus personas más ilustres como sus reservas de pólvora pensando que no se atreverían a atacar. No fue así y destruyeron la mayor parte del Partenón del que sólo se conserva el lado occidental. Parte de sus restos se encuentran divididos entre Londres y Paris.

— El Templo de Atenea-Nike —

Entre el 432 y el 421 a.C. se construyó este impresionante templo de la época de Pericles, realizado en mármol pentélico. El arquitecto volvió a ser Cariclates, que proyectó el templo bajo un antiguo fortín micénico y sobre una superficie de 8 x 5 m. Lo erigió con columnas jónicas de cuatro metros y un friso labrado en el cual se representa la lucha entre persas y griegos ante las deidades. El templo fue derribado bajo dominio turco en 1686, quienes lo utilizaron como punto estratégico. Sería en 1835, con el arqueólogo alemán Ross, cuando comenzaría su largo proceso de reconstrucción.

— Los Propileos —

Herencia de Pericles y construido por Mnesicles durante los años 437 y 432 a.C., se proyectó esta entrada monumental compuesta por un magnífico pórtico con doce columnas dóricas y en su entrada dos salas rectangulares que no llegaron a terminarse. En la parte más amplia del norte se instaló una pinacoteca, la primera galería de pintura del mundo, con obras de Polignoto, que tampoco llegó a finalizarse.

— El Erection —

Este magnífico templo sagrado fue construido entre el 421 y el 395 a.C. y estaba dedicado al culto de Poseidón Erecteo y Atenea Polias. Las obras fueron también dirigidas por Mnesicles. El monumento es asimétrico debido al desnivel del terreno que tuvieron que salvar los arquitectos. La zona central y las columnas se realizaron en estilo jónico. A su lado se encuentra el conocido **Pórtico de Cariátides** considerada una de las obras más significativas del mundo. Compuesta por seis columnas esculpidas como mujeres tienen una altura de casi dos metros y medio.

Otros monumentos de especial importancia dentro de la

✃ Leyenda del Rey Midas ✄

Midas, rey de Frigia, hijo de Rea, encontró a uno de los sátiros del cortejo de Dionisio y aprovechó la ocasión para tratarlo con hospitalidad porque sabía que podría ser recompensado con algún don divino. Y así fue, Dionisio en agradecimiento le ofreció un deseo a Midas y éste pidió que todo cuanto tocase se convirtiera en oro. Su ropa, la comida, la bebida, sus animales, y hasta su hija se transformaron en el preciado metal. Al ver Midas que era una situación extrema, suplicó a Dionisio que le retirara el don. Para ello tuvo que bañarse en el río Pactolo, cuyas arenas eran también de oro.

● Pórtico de Cariátides, uno de los mayores atractivos de la Acrópolis

Acrópolis son el **Odeón de Herodes Ático y** el **Templo de Atenea Polias.**

— Museo de la Acrópolis —

Una lechuza, símbolo de sabiduría, sirve de antesala a este pequeño museo que alberga gran cantidad de restos y esculturas pertenecientes a la historia de la Acrópolis. Destaca el *Moscóforo* y las originales Cariátides.

Junto a la Acrópolis se encuentra el teatro más antiguo de la ciudad, el **Teatro de Dionisios,** dios de la embriaguez y los excesos, el cual albergó obras de Sófocles y Eurípides.

— Visitando Atenas —

Dejando atrás la Acrópolis se encuentra, en primera instancia, el **Ágora antigua,** que era el centro de la vida social, económica y administrativa de la época. Este antiguo mercado fue recorrido por Sócrates, Platón y Aristóteles. Allí destacan monumentos como el Teseión, el Pórtico de Atalos y, algo más alejada, la Torre de los Vientos. Continuando al oeste aparece el antiguo barrio de Plaka, centro de la vida turística y nocturna, que sorprende con sus cafés, sus tiendas de todo tipo y sus tabernas tradicionales. Aquí la historia ha ido dejando su huella con monumentos clásicos, mezquitas, iglesias bizantinas ...

Para cenar en Plaka existen varios lugares interesantes en las calles Eretheus y Misicleus, como son los restaurantes "Dafne" y "Dionisos".

A continuación está el **barrio de Monastiraki,** conocido por su variopinto Rastro. Más al norte se llega al **barrio de Keramei-kos** donde está la antigua necrópolis de Atenas y donde se puede visitar el museo del mismo nombre.

Junto a Plaka aparece la **Plaza Sintagma** que constituye el centro de la vida moderna de la urbe con sus bancos, hoteles, almacenes y cafés. Tam-

ℭ Cambio de guardia ℬ
en Atenas

El cambio de guardia en Atenas es un espectáculo verdaderamente digno de ser contemplado. Se realiza en el antiguo Palacio Real, sede del Parlamento desde 1935. Este lugar se encuentra custodiado por los *euzones* o "soldados de bello cinturón", cuya ceremonia de relevo es un momento muy esperado por los visitantes de la ciudad.

El cambio de guardia se produce todos los días cada dos horas, pero la ceremonia en todo su esplendor se puede contemplar el domingo a las 11:00h. Los *euzones* se visten con sus mejores galas mientras el relevo es acompañado con una banda de música.

bién se pueden realizar compras variadas como joyas de oro y plata, artesanía y ropa. Aquí se puede visitar el Parlamento griego, el Monumento al Soldado Desconocido y el cambio de guardia de los soldados griegos, conocidos como *Euzones* (cada hora impar y, en especial, los domingos por la mañana).

Próximo a la Plaza Sintagma está el **Jardín Nacional**, auténtico pulmón de la ciudad, cuyo núcleo es **Zapión** (gran palacio neoclásico de exposiciones).

Al sur del parque está situado el **Arco de Adriano** que sirve de antesala al gran **Templo del Zeus Olímpico,** y algo más al sur se levanta el **Estadio Olímpico.** En esta zona se puede desgustar la cocina griega en restaurantes como "Ideal" y "Mirtia".

Al norte del Jardín Nacional está el **barrio Kolonaki,** con su centro en la plaza, que es la zona de negocios y parte acomodada de la ciudad, con lujosos restaurantes, tienda de antigüedades, tiendas de moda ...

Cerca de aquí, el funicular lleva a la colina de **Likavitos** donde asombran las vistas de la Acrópolis al atardecer.

Las calles Stadiou y Panepistimiou conducen, a través de infinidad de comercios, a la **Plaza Omonia** y al mercado central. Allí convergen los barrios populares de la ciudad, y las culturas se funden en un ir y venir ,tanto por su ambiente oriental como por su tráfico occidental.

• Gran puerto comercial y pesquero de El Pireo

Durante el paseo por la calle Panepistimiou se pueden visitar los edificios neoclásicos más relevantes de Atenas, como la Academia de las Artes, la Universidad y la Biblioteca Nacional. Más al norte está situado el **Museo Arqueológico Nacional** que alberga en su interior auténticas joyas de la historia de Grecia y está considerado como uno de los más importantes del mundo. Otros museos a visitar son el Museo de Arte Bizantino, el Museo Benaki, el Museo Cicládico, el Museo de Artes Tradicionales, la Pinacoteca Nacional y el Museo de la Ciudad de Atenas.

La calle Ermou conduce, a su paso por el Museo de la Cerámica, al gran puerto comercial y pesquero de **El Pireo**, que, pese a estar situado a 10 km. de Atenas, se encuentra integrado en la misma por el gran crecimiento que ha sufrido la ciudad en los últimos años. El puerto es conocido también por la zona de Microlimano, lugar idílico para cenar junto al mar.

Otra ruta de interés consiste en visitar iglesias cristianas ortodoxas y católicas y contrastar sus arquitecturas y costumbres. Entre las iglesias más relevantes están las de Agia Triada, Agii Teodori, Agia Caterini y Agii Apostoli.

Las acrópolis griegas

Las antiguas ciudades griegas se componían generalmente de un palacio fortificado, de difícil acceso, la *Acrópolis* y de una ciudad interior situada al pie de las murallas. En la *Acrópolis* residía el rey con su corte, sus funcionarios y servidores. En caso de peligro, todos los habitantes de la ciudad se refugiaban detrás de sus murallas.

En la Acrópolis de Micenas existían grandes depósitos donde, en caso de guerra, podían almacenarse provisiones. El abastecimiento de agua estaba también asegurado por una conducción secreta excavada en la roca calcárea. Fuera de los muros se elevaban enormes tumbas de cúpula semejantes a colmenas. En los tiempos esplendorosos de Micenas, los reyes dormían allí su último sueño antes de morir.

Estas construcciones causaron admiración a los pueblos de la época y despertaron la codicia a los posteriores que las saquearon en gran medida, antes de la excavación que emprendiera el arqueólogo Schliemann en 1876.

En la época veraniega, la vida nocturna se concentra en la costa y abarca desde Vouliagmeni hasta el aeropuerto de Olimpic. Las discotecas más conocidas son "Amazon" y "La Playa". También existen multitud de teatros y de cines repartidos por toda la ciudad.

A una hora de Atenas se encuentra el Gran Casino Magic, considerado uno de los más impresionantes de Europa.

Entre las zonas de Atenas y Ática se realizan variadas e interesantes visitas. Destaca la del **cabo Sounión,** el punto más meridional del Ática, y donde es admirable el Templo de Poseidón junto con una de las puestas de sol más célebres de Grecia.

También son interesantes los monasterios de Kaisariani, uno de los más antiguos del Ática, y de **Dafne,** perteneciente a la época bizantina.

Música en Grecia

Gran parte de las representaciones musicales y de danza de calidad tienen lugar durante los diversos festivales.

En Atenas hay grandes actuaciones en el teatro Lycabethus del monte del mismo nombre.

La ópera se representa en el teatro Olympia, sede de la compañía Kyriki Skyni (Compañía Nacional de Opera).

En Salónica las representaciones de ópera, danza y teatro tienen lugar en el Teatro Estatal de la Grecia Septentrional.

La música griega es muy variada, desde la "popular ligera" a la "rembetika" y el canto bizantino, pasando por Theodorakis, Hazidakis y Dionisios Savopoulus.

La música folklórica también nos ofrece una amplia variedad regional. Creta posee una de las tradiciones más ricas caracterizadas por la *lyra*, el *laouta* y el *santouri* que es una especie de dulzaina. Epiro se caracteriza por el uso del *klarino* y del canto polifónico. La música isleña es conocida como "Nisiotika" y tiene su propio sonido, estilo e instrumentos que varía según el grupo de islas.

• En el cabo Sounión se puede disfrutar de una de las
puestas de sol más celebres de Grecia

Destacan **El monte Parnaso**, conocido por su importancia en la mitología griega, y **Marathon**, conocida por su famosa y crucial batalla contra los persas en el 490 a.C.

LAS ISLAS SARÓNICAS

Las cinco islas del golfo Sarónico están situadas cerca de Atenas y se puede acceder a ellas cómodamente desde El Pireo. Los bonitos paisajes, con sus playas y buen clima, así como su patrimonio artístico hacen que sea uno de los destinos favoritos, tanto para los propios atenienses como para los turistas.

Salamina es una pequeña isla situada frente a El Pireo. Tiene algún problema de contaminación por su cercanía a la zona industrial de Atenas, lo cual, por otra parte, la hace ser accesible en trasbordador. Aquí se desarrolló la gran batalla naval en la que se impusieron griegos sobre persas, con su rey Jerjes al mando (480 a.C.). En Salamina nació el famoso poeta trágico Eurípides (s.V a.C.).

De especial interés son el Templo de Ayax y el Monasterio bizantino de Panayia Faneromeni. La isla también es conocida por sus buenos vinos y sus playas como Kanakia, Mulki y Hiliakti.

Al sur de Salamina se encuentra **Egina,** isla con un rico pasado histórico. Entre sus múltiples disputas están sus enfrentamientos contra persas

• Egina es una isla con un rico pasado histórico

y, posteriormente, contra los atenienses (431 a.C.). Hasta la llegada de los turcos y su posterior independencia, la isla estuvo dominada por romanos, bizantinos, españoles y venecianos.

Egina cuenta con asentamientos humanos desde el 2500 a.C., y es conocida por albergar uno de los templos más conocidos y mejor conservados de la Grecia Antigua, como es el Templo de Afaia (s. V a.C.) de estilo dórico y alzado en honor a la diosa Afaia.

Otros lugares muy recomendables para visitar son el Templo Dórico de Apolo (s. V a.C.), el Museo Arqueológico y el Monasterio de Ayios Nektarios. Existen también gran número de iglesias y ermitas. Sus playas reciben la visita de muchos turistas por sus aguas cristalinas y su arena dorada, entre ellas la más popular es la de Ayia Marina.

Entre sus productos típicos destacan el vino, los pistachos y la cerámica.

Siguiendo el recorrido hacia el sur y separada del Peloponeso por un pequeño canal se llega a **Poros,** isla de origen volcánico. Entre sus escasos restos arqueológicos conviene señalar el Santuario de Poseidón y el Monasterio de Zoódojos Piguí. También se puede disfrutar de sus cálidas playas y de sus bonitas casas que se aferran a las laderas de los montes.

Cercana a Poros se haya la artística **Hydra**, caracterizada por su tradición naval y por ser territorio prohibido para los vehículos de motor. De este modo, su paisaje abrupto y la belleza salvaje de sus costas sirven de inspiración a pintores y escultores que se dan cita en esta isla para realizar sus creaciones artísticas. Entre los lugares de interés que posee destacan las casas señoriales de los siglos XVIII y XIX como Tombasis, Kunduriotis y Búlgaris.

Entre sus playas más apetecibles están Mandraki, Molo y Kaminia.

En la entrada del golfo Argólico se encuentra **Espeches** con asentamientos humanos que datan del 2500 a.C. encontrados en Ayía Marina. Es una isla en cuyo agreste paisaje destaca la presencia del pino. Otra nota característica de esta isla es la posibilidad de desplazarse mediante bicicletas y coches de caballos. Entre sus playas destacan Ayía Paraskeví y Ayii Anárguiri.

• Vista del puerto de Hidra

Grecia Central y Norte:

F iel reflejo de la variedad existente en el país, Grecia Continental ofrece paisajes maravillosos acompañados de rincones únicos por su tradición y su herencia artística.

TESALIA Y EPIRO

Concretamente en el centro de Grecia, entre las regiones de **Tesalia** y **Epiro** que están divididas por los montes Pindos, se encuentran gran cantidad de lugares para visitar.

DELFOS

En un enclave privilegiado, situada en la ladera de **El monte Parnaso** (2457 m.) y con el golfo de Corinto en el horizonte, se encuentra la antigua y bella ciudad de Delfos. Aquí se funden historia y naturaleza.

Cuenta la leyenda que Zeus soltó dos águilas, una desde el este y otra desde el oeste, y que en el lugar donde se encontraron dejaron caer la "pie-

• Tesalónica ofrece múltiples posibilidades para disfrutar del tiempo libre

dra sagrada" y ese punto sirvió para determinar el "ombligo del mundo", el **Oráculo de Delfos**. Centro del mundo antiguo, los griegos acudían al oráculo para conocer si las acciones que iban a emprender tendrían el apoyo del dios Apolo, quien se manifestaba a través de la sacerdotisa Pitias (pitonisa). Las pitonisas, tras purificarse en la Fuente de Castalia con su agua y masticar hojas de laurel, entraban en trance dando voz al oráculo que a su vez debían interpretar los profetas.

En Delfos se celebraban, cada cuatro años, los Juegos Píticos alternándose con los juegos de Olimpia y de Nemea en honor a Apolo Pitias.

En la ladera sur del Parnaso se alza el **Santuario de Apolo** con sus tesoros y sus templos. Junto al Templo Dórico de Apolo (s. XIV a.C.) se en-

---

El monte Parnaso

En la mitología griega el monte Parnaso estaba consagrado al dios Apolo, cuyo famoso Oráculo se encontraba situado en la base de la montaña. Además era el sitio preferido de las musas, y centro de inspiración poética y musical. En el Parnaso también se adoraba a los dioses Pan (dios de la fertilidad) y Dionisio (dios del vino y la vegetación).

cuenta el Teatro de Delfos con un aforo para cinco mil personas donde se celebraban las fiestas Délficas, cuya temática principal era la victoria de Apolo sobre Pitón. También destacan, por su gran valor histórico y arquitectónico, el Templo de Atenea y El Tolos. Al oeste del santuario se sitúa el Estadio en el cual se celebraban los Juegos Píticos, y al este la Fuente de Castalia.

El **Museo Arqueológico** de Delfos alberga restos variados del recinto sagrado y, entre los más significativos, la Piedra Sagrada (réplica del "ombligo del mundo"), la Esfinge de Naxos (560 a.C.) y la estatua de bronce de Auriga.

El santuario sufrió varias guerras sagradas y saqueos hasta que los romanos se hicieron con el dominio de Delfos (s. II a.C.) dejando de ser el centro del mundo pese a los esfuerzos de Nerón y Adriano. Teodosio, en el año 381, mandó clausurarlo por su incompatibilidad con el cristianismo, y más tarde su hijo Arcadio terminó por demolerlo. Los restos se utilizaron para construir una nueva ciudad hasta que, a principios del s. XIX, se inició su prolongada restauración.

En un bonito paraje cercano a Delfos se encuentra el **Monasterio de Osios Lucás** (s. X) dedicado a su fundador, San Lucas de Steirion. Este edificio bizantino tiene su núcleo en la Iglesia octogonal donde son admirables los bellos frescos y mosaicos bizantinos del s. XI.

• Delfos fue centro del mundo antiguo debido a su conocido Oráculo

• Meteora, turístico lugar formado por espectaculares peñascos en cuyas cimas se encuentran sorprendentes monasterios

Durante su visita está prohibido ir vestido con pantalón o falda corta.

Adentrándose en el **Epiro,** al noroeste del país, se encuentra una región montañosa que conserva ciudades cuyo principal atractivo radica en su enclave y en sus costas bañadas por el mar Jónico.

En este bonito recorrido se llega a **Ioannina,** antigua y encantadora ciudad asentada a orillas de un gran lago, y en cuyas proximidades se puede visitar la Cueva de Perama, una de las más espectaculares de Grecia.

Dejando Ioannina, hacia el interior, se halla **Metsovo,** que es un bonito pueblo de montaña conocido por su estación de esquí y su buen clima.

Continuando el recorrido hacia el este, dirección a la región de **Tesalia,** aparece **Meteora,** turístico lugar formado por espec-

• Los impresionantes peñascos rocosos de Meteoro con monasterios en sus cimas forman parte del paisaje de Tesalia

• Monte Olimpo, residencia habitual del Dios Zeus en la región de Macedonia

taculares peñascos. Hasta aquí todo parece normal, pero encaramados a su cima y desafiando la gravedad se encuentran varios monasterios que parecen estar en contacto divino. De entre los muchos que hubo habitados durante el s. XV hoy todavía se conservan algunos, entre los que destaca el **Monasterio del Gran Meteoro,** fundado por San Antonio en 1344, uno de los más importantes e impactantes de Grecia. También merecen ser mencionados los monasterios de **Agios Stefanos**, compuesto por una comunidad de religiosas y en cuyo interior se hallan frescos e iconos posbizantinos, y el de **Agia Triada**, con unas impresionantes vistas.

Es conveniente ir apropiadamente vestidos con pantalón o falda larga y los brazos cubiertos para poder visitar estos monasterios.

MACEDONIA Y TRACIA

En la zona norte de Grecia, entre las regiones de **Macedonia** y **Tracia**, se pueden visitar lugares de gran interés

TESALÓNICA

Tesalónica es la segunda ciudad en importancia de Grecia y destaca por ser moderna con una floreciente industria, así como por su patrimonio histórico.

Es una ciudad perfectamente comunicada por aire, aeropuerto a 15 km., por mar, con barcos a multitud de destinos, y por tierra con tren hacia Atenas, varias redes de autobuses, etc.

Tesalónica debe su nombre a la esposa de Casandro, rey de Macedonia, el cual fundó la ciudad en el 316 a.C. Por su posición estratégica y su buena comunicación ha sido un lugar con un amplio y agitado pasado en el que padeció invasiones de todo tipo. Fue importante en la época alejandrina, pero en especial llegó a ser primera ciudad romana del oriente europeo. Estuvo bajo dominio turco cerca de cuatro siglos hasta principios del s. XX.

En la zona del puerto, aparte de poder degustar buena cocina popular, se puede visitar la **Torre Blanca**, símbolo de la ciudad, que fue construida en 1535 y en cuyo interior se encuentra un museo de arte bizantino. **El Museo Arqueológico** es uno de los más significativos del país y contiene objetos relacionados con Macedonia y la historia de la ciudad. También conviene señalar, por su relevancia, la Iglesia de Agia Sofía del s. VIII, convertida en mezquita durante el dominio turco, y la Iglesia de Agios Georgios, junto al Arco de Galerio.

Dejando Tesalónica y desplazándose hacia el sur se encuentra la península *Calcídica* formada por su "tridente" de tierra que se adentra en el mar, por medio de Casandra, Sitonia y el monte Athos.

El **monte Athos** (2.033 m.) es uno de los lugares más inaccesibles de Grecia y sorprenderá por su abrupto relieve y por el paisaje de sus playas. Pero sobre todo, llamará la

• Vista nocturna de la ciudad de Tesalónica

• El monthe Athos se caracteriza por su abrupto relieve y sus bonitas playas

atención por la veintena de monasterios que se encuentran repartidos por toda la región y que datan de los siglos X y XI. En ellos se hallan innumerables joyas artísticas de la época bizantina, lo cual atrajo durante toda la historia a piratas y mercenarios que no dudaron en saquearlos.

Suspendido entre la historia y el tiempo, este enclave monacal sólo tolera la presencia femenina de la Virgen María y de contados turistas, por supuesto hombres, que cuenten con permiso de visita y sean mayores de edad con autentico interés religioso. Algunos de los más interesantes son el Monasterio de Esfigmenu y el de Hilandariou.

Continuando la visita hacia el norte de Grecia y en dirección a la región de **Tracia** surge **Kavala.**

Al pie del monte Símbolo, Kavala es una importante y moderna ciudad comercial con vestigios de su pasado. Sirvió como asentamiento a los habitantes de Tasos y los turcos hicieron mejoras en la infraestructura de la ciudad. Destacan su muralla, el Castillo bizantino y el Acueducto de Kamares.

Con una población aproximada de 60.000 habitantes y una importante flota pesquera, sus principales productos son el mármol, el tabaco y el vino. No debemos dejar de pasear por sus preciosas playas y degustar pescado en su entrañable puerto.

Cerca de Kavala se encuentran los restos de la antigua ciudad macedonia de **Filipi.**

• Romántica vista de la ciudad de Kavala

Frente a la costa de Kavala está situada la mitológica Isla de **Tasos,** conocida como "Isla de las Sirenas", con un paisaje natural único donde se intercala la suavidad azul del mar con el abrupto verde de las montañas.

De regreso a Atenas, entre Macedonia y Tesalia, divisamos el mítico **monte Olimpo** (2.918 m), residencia habitual del dios Zeus. Más al sur aparece **Larisa,** importante centro de comunicaciones de la región,

• Pilion. Una de sus numerosas playas en el Egeo

con una larga historia, cuyos frutos fueron su fortaleza, el teatro del s.III a.C. y el Museo Arqueológico.

A 50 km., hacia la bonita península de Pilion, se encuentra **Volos** en la costa oriental griega. Esta ciudad presume de tener el tercer puerto más importante del país bajo la protección del golfo Pagasitikos. Su importancia histórica radica en que estuvo visitada por Jasón y los argonautas en su búsqueda del vellocino de oro.

LA GASTRONOMÍA EN LA ANTIGUA GRECIA

A partir del siglo VII a J.C., los filósofos griegos empiezan a sentar las bases de una Astronomía basada en la ciencia.

Tales de Mileto es el primer científico o filósofo del que se tiene noticia. Estudioso de la Astronomía egipcia, trató de dar una explicación racional de los fenómenos que observaba en los cielos. Para él, la tierra era un disco plano que flotaba en una enorme masa de agua.

El primero en afirmar que la Tierra está aislada en el espacio, comportándose como un cuerpo celeste, fue **Anaximandro.** Su teoría se basaba en que el agua era el elemento del que provenía todo el Universo y la Tierra era su núcleo. Él fue el primer filósofo del que se tiene noticia que consideró al Universo como una esfera que envolvía a la Tierra.

La escuela de **Pitágoras** (aprox. 580-500) basaba su teoría en que el conocimiento de la Tierra les venía dado por el hecho de que los marinos griegos les facilitaban los datos de sus observaciones en sus travesías. Unido a la visión matemática del Universo, los pitagóricos consideraron que, dado que los cielos tenían una forma esférica, la Tierra también debía tenerla, para ser geométricamente compatible con ellos.

Para los pitagóricos el número de los cuerpos celestes contenidos en la esfera del Universo era 10, aunque sólo podían divisar nueve cuerpos celestes: el Sol (Helios), la Tierra (Gea), la Luna (Selene), los cinco planetas (Hermes, Afrodita, Ares, Zeus, y Cronos) y las estrellas fijas, por lo que les faltaba el décimo cuerpo celeste. Ello les hizo postular la idea de la existencia de un décimo planeta, la Antitierra.

El gran filósofo **Platón** también aportó su grano de arena a los conocimientos astronómicos de los griegos. Para él, las estrellas eran seres vivos y consideraba que el Universo, constituido por el sistema solar, era eterno. Platón afirmaba que los planetas se hallaban distanciados unos de otros de acuerdo con la armonía de la música griega. Contribuyó de modo importante al desarrollo de la Ciencia al postular que el movimiento aparente de los astros se debía a la rotación de la Tierra sobre su eje.

La filosofía astronómica del gran **Aristóteles** era una mezcla de información científica y virtuosa argumentación. Además, la aceptación generalizada de las teorías Aristotélicas durante la Edad Media contribuyó notablemente al periodo de estancamiento científico de la Edad Media.

Por último, citar a otro filósofo griego, **Hiparco,** por ser otra de las grandes figuras de la astronomía clásica. Hiparco estudió con precisión los movimientos de la Luna y del Sol y determinó, asimismo, con mucha precisión, la duración del año. La aparición en los cielos de una nova, en el año 125 a.J.C., le impulsó a realizar el primer catálogo de estrellas de la historia. También

se debe a él la invención de la trigonometría y del sistema de localización de lugares geográficos en la superficie de nuestro planeta mediante la latitud y la longitud.

Tras la época clásica, hubo que esperar hasta el primer siglo de la era cristiana para que nuevamente surgieran nuevas teorías en torno al Universo.

El Peloponeso

sta península meridional, prácticamente convertida en una isla ("Isla de Pelops") desde que se construyó el Canal de Corinto, reúne gran parte de lo mejor de Grecia: innumerables restos arqueológicos junto con las mejores playas, enmarcado todo ello en un hermoso paisaje que cuenta con algunos de los valles y desfiladeros más exuberantes del país. Realmente el viajero se siente invadido por diferentes sensaciones que parecen no terminar.

CORINTIA

Es el primer "nomos" o provincia que encontramos al noroeste del Peloponeso. *Korinthia* se ve agitada desde la mítica antigüedad por pueblos que, por el Istmo o "aulaki" como lo llaman los griegos, bajan al Peloponeso.

Con el asentamiento de los dorios, en el s. IX a.C, Corinto abre el camino de su historia. Se convierte en una gran potencia naval y los dorios tienen

• El Canal de Corinto es un importante nudo de comunicaciones

la idea de abrir el Istmo, pero esta obra no la llevan a cabo y en su lugar construyen un camino pavimentado para transportar sus barcos. El s.V a.C. es el periodo de su mayor esplendor, sin embargo, con la aparición de Atenas como gran potencia, Corinto queda ensombrecida.

En el año 146 a.C. será totalmente destruida por los romanos, y más tarde el emperador Julio César fundaría una colonia romana (44 a.C.). Curiosamente será Nerón, en el 67 d.C., quien ponga en práctica la apertura del Istmo cavando para su trazado un gran foso que fue abandonado a su muerte.

El canal se haría realidad en 1891-1893. La tecnología de entonces hizo posible "cortar" el Istmo de 6 km. de longitud y 24 m. de anchura.

En la actualidad **Corinto** es una de las ciudades griegas más destacadas, así como un importante nudo de comunicaciones. Su gran muelle es uno de los sitios más bellos de la ciudad, con numerosos restaurantes, tabernas típicas y rincones llenos de encanto. Esta ciudad ofrece una vida intensa tanto en verano como en invierno.

La Antigua Corinto ocupa un amplio e irregular espacio bajo la imponente colina de la Acrópolis de *Acrocorinto*, cubierta de ruinas romanas y medievales.

Entre esas ruinas se encuentran secciones de antiguas murallas que rodean estadios, gimnasios y necrópolis. Lo que realmente sorprende es que sólo la zona central, en torno al foro romano y al templo de Apolo, está escavada. El resto forma un camino de ruinas semienterradas con las que el visitante se tropieza mientras va subiendo hacia Acrocorinto. El conjunto es impactante y enigmático, y todo ello hace imaginar la grandilocuencia de esta ciudad que en otro tiempo fue centro del mundo antiguo.

Desde Corinto y dirigiéndose por la carretera nacional Corinto–Patrás se encuentran diseminados pueblecitos que dan al mar, lugares que ofrecen tranquilidad, playas y comidas con sabor a mar. Entre ellos está **Léjeo,** segundo puerto de la antigua Corinto, importante para su comunicación con Occidente. Otro es **Kiato,** construido en una región repleta de árboles frutales. Son lugares donde el viajero se puede olvidar del estrés y evadirse del resto del mundo.

La Argólida

Hacia el este del Peloponeso se encuentra la Argólida con sus doradas llanuras, cautivadoras costas y montes rasos testigos de un pasado lleno de leyendas y realidades, como las huellas aún visibles que dejaron los venecianos y los turcos en esta tierra.

Viajando en dirección sur de la Argólida se atraviesan llanuras con olivos y viñedos a un lado del camino, mientras que el mar hace compañía por el otro. Esta senda conduce hasta **Nauplia**, capital de la provincia y una de las más bellas ciudades de Grecia gracias a sus pintorescas calles con edificios neoclásicos, fuentes turcas, balcones de madera repletos de flores y su *Plaza de Sindagma*. Ésta es el punto de máximo interés, en ella y sus alrededores sobreviven tres mezquitas otomanas, en la actualidad transformadas para diversos fines. El *Museo Arqueológico*, ubicado en un impresionante edificio veneciano, también se sitúa en esta plaza. En él podemos contemplar frescos de Micenas y de Asine.

En el s. XVIII los venecianos construyeron la Ciudadela de **Palamede**. Desde una colina de 916 m. domina el mar. Este colosal edificio constaba de ocho bastiones estudiado para aguantar el asedio en caso de asalto, gracias a un laberinto de callejuelas y pasadizos secretos. Para llegar a ella hay que subir una escalera de nada menos que 900 escalones, pe-

La Máscara de Agamenón

La Máscara de oro de este emblemático rey, procedente de la tumba V de Micenas, es el más famoso y quizás el más conocido descubrimiento de las tumbas reales. El entusiasta arqueólogo alemán Schlieman insistió en la idea de que esta máscara funeraria era de Agamenón, jefe de todos los griegos en la campaña contra Troya. Las facciones majestuosas de la máscara seguramente coincidirían con la imagen del rey de Micenas, caudillo de los Aqueos. Sin embargo, la investigación histórica demuestra que su reinado y la guerra de Troya tuvieron lugar mucho después del s. XVI a.C., época de la que data la máscara.

ro una vez arriba se contempla toda la ciudad y su magnífico golfo, así como las llanuras de la Argólida y las costas del Peloponeso.

En Nauplia siempre surgen nuevas visiones que hacen concebir la idea de que es una ciudad de ensueño.

Al norte de Nauplia se encuentra **Tirinto**. Cuenta la leyenda que la ciudad fortificada fue construida por los cíclopes (seres de fuerza sobrehumana) ya que las piedras más grandes llegan a pesar 13 toneladas cada una. Homero la menciona entre las ciudades que tomaron parte en la guerra de Troya. En el año 1200 a.C. un incendio destruyó la próspera ciudad de Tirinto. Esto ayudó a que **Argos,** situada al norte, tomara el relevo y se convirtiera años después en una de las ciu-

dades más poderosas de Grecia. Considerada la más antigua ciudad habitada de Europa, nadie lo imaginaría ya que en la actualidad es el centro agrícola y comercial de la provincia.

A unos 9 km. de Argos se encuentra la ladera de la colina **Evia** (**Eubea**) donde aparecen las ruinas del Santuario del Hereo, uno de los más importantes de la antigüedad y centro de culto de la diosa Hera (reina del cielo de la luz y del matrimonio). Siguiendo la ruta se encuentra **Micenas** (*Mikínes).* En ninguna otra parte de Grecia se adapta mejor un lugar con la leyenda. Esta ciudad fortificada del segundo milenio a.C. vio nacer la brillante civilización micénica y entró en la leyenda bajo el reinado de Agamenón. La Acrópolis de Micenas, uno de los lugares más ricos de la antigua Grecia, fue descubierta en 1874 por el arqueólogo alemán Heinrich Schliemann, impulsado por su firme creencia en que los poemas de Homero tenían una base real. Sus hallazgos lo demostraron.

La entrada en la mítica Ciudadela se efectúa por la Puerta de los Leones, la muestra más antigua de escultura monumental de Europa. Tras cruzarla aparece a la derecha el círculo de las tumbas reales. En la colina de Panayitsa se encuentra la construcción más importante de la arquitectura micénica, el "tesoro de Atreo" o la tumba abovedada de Agamenón.

Los continuos conflictos que enfrentaron a los Átridas (familia maldecida por los dioses) y la invasión de esta parte del país por los dorios, a finales del s.XII, causaron el declive de esta civilización.

Epidauro, situada en la costa del golfo de Egina, es célebre y muy visitada por su teatro, construido por Policleto en el s. IV a.C. y extraordinariamente bien conservado. Con capacidad para 14.000 espectadores está construido con piedra porosa. En el Teatro de Epidauro no es necesario gritar o hablar en voz alta, pues su acústica es de tal calidad que se ha convertido en el escenario principal de las representaciones de teatro clásico del Festival de Verano ateniense (viernes y sábados noche de junio a septiembre).

Al norte del teatro se encuentran las ruinas del Templo de

• El Teatro de Epidauro es uno de los mejor conservados de Grecia

Asclepio (s.IV a.C.), el dios que fue fulminado por Zeus porque quería hacer desaparecer la muerte.

ARCADIA, ÉLIDE Y ACAYA

Recorriendo **la Arcadia** el viajero se ve envuelto en un paisaje con grandes bosques de abetos y una abundante vegetación, un entorno que parece no haber cambiado mucho desde la antigüedad, una naturaleza que sus montañeses habitantes han conservado hasta nuestros días.

Los arcadios son considerados los habitantes más antiguos del Peloponeso. La capital de la provincia es **Trípoli** que constituye un importante centro agrícola, comercial y de comunicaciones del Peloponeso. La ciudad posee bellos edificios neoclásicos, en uno de los cuales se halla el museo de la ciudad y la Iglesia bizantina de Ayios Basilios

Acaya, situada en la costa oeste del Peloponeso, fue el lugar que eligieron los aqueos de la Argólida para instalarse cuando se produjo la decadencia de la civilización micénica. Aquí fundaron ciudades importantes e hicieron que esta región desempeñe un papel activo en la política griega.

La capital de Acaya es **Patrás.** Su nombre lo debe a Patreas, dirigente de los aqueos. Es una de las ciudades más importantes de Grecia y la principal del Peloponeso. Su puerto, el segundo en importancia del país después de El Pireo, le garantiza el tráfico marítimo con Italia y las Islas Jónicas. La ciudad está dividida en dos partes, la alta y la baja, que se caracteriza por el trazado de sus calles, los jardines y las plazas. La ciudad antigua conserva todavía un número considerable de casas neoclásicas. En la ciudad baja se alza majestuoso el Templo de *Ayios Andreas*, patrón de la ciudad. Cerca de aquí se encuentra la *Psilá Alonia* (el balcón de Patrás), una hermosa plaza con palmeras de fino tronco y un reloj de sol. Desde aquí se divisa toda la ciudad y el mar.

Aunque el corazón de Acaya son sus montes, nadie puede dejar de ver sus costas ya que forman una hermosa composición de pueblos llenos de color y playas con encanto. **Akrata, Plátanos, Trápeza, Longos**... Continuando, siempre al lado del mar pero sin abandonar el verde paisaje, se ve cómo nacen pueblos unos detrás de otros.

La provincia de **Élide**, al sud-oeste de Acaya, es conocida por celebrar los primeros **Juegos Olímpicos** de la historia. En el año 776 a.C. el caudillo de Elisfito organiza los juegos en honor de Zeus. Así se establece la primera Olimpiada y desde entonces, cada cuatro años hasta el 393 d.C en que fueron suprimidas por el emperador Teodosio I el Grande, se celebraron con participación de atletas de todas las ciudades–estado. Durante la celebración de los mismos se suspendían las acciones bélicas. El premio consistía en una corona de olivo silvestre que se cortaba siempre del mismo acebuche, el *Kalistéfano,* y el glorioso vencedor era aclamado por todo el mundo. Quince siglos más tarde, en 1896, las Olimpiadas reviven gracias al pedagogo e historiador francés P. de Coubertin. Desde entonces, cada cuatro años sale de la antigua **Olimpia** un portador de antorcha (como el antiguo "spondoforo") transportando la llama sagrada de relevo en relevo hasta la sede de los Juegos.

Por ello, se fundó en Olimpia la Academia Olímpica Internacional que funciona desde 1961.

Dentro del recinto arqueológico de Olimpia están los restos de los edificios donde se llevaban a cabo las ceremonias de los juegos. *El Pritaneon,*

• El recinto arqueológico de Olimpia es visitado por gran número de turistas

donde se celebraba la ceremonia de proclamación de campeones.

El Hereon, templo dórico dedicado a Hera (en su honor se celebraban las competiciones de carrera). *El Templo de Zeus* (472 a.C.) albergaba en su interior la famosa estatua crisoelefantina de Zeus en oro y marfil, realizada por Fidias. Por desgracia no se conserva nada de ella.

Enfrente del emplazamiento arqueológico aparece el nuevo Museo de Olimpia. En él se exponen hallazgos de la región, entre los cuales destaca la estatua de mármol de Hermes, obra de Praxíteles en el 330 a.C., y las esculturas de los frontones y las metopas del Templo de Zeus .

También existe un Museo de los Juegos en el pueblo actual de Olimpia, que es el único del mundo en su género. En el 2004 los Juegos Olímpicos volverán a tener su sede en el país que les vio nacer.

LACONIA Y MESENIA

Provincias al sur del Peloponeso, bendecidas por su clima excepcional y abundancia de agua, ocultan todavía numerosos testimonios de su pasado bizantino.

Kalamata, es capital y puerto de la provincia de **Mesenia**, famosa por la seda, sus exquisitas aceitunas y su baile *kalamatianó*.

Un castillo construido en el s. XIII domina la ciudad. En su cara norte se conserva un pequeño templo bizantino consagrado a la Panayía Kalomata, de quien podría provenir el nombre de la ciudad. Desde lo alto del castillo se puede ver

---

ଓ El "Harpaston" ଘ

En los principios de la civilización griega era practicado un juego conocido como "Harpaston" y por lo que se sabe de él, puede considerarse muy parecido al "Rugby" actual.

El "Harpaston" se practicaba para entrenar a los soldados espartanos, y a medida que Esparta ensanchaba sus dominios, el juego fue extendiéndose más y más, hasta llegar a ser conocido por el Imperio Romano. Puede considerarse un precedente remoto del fútbol moderno.

el mar con sus playas de arena y guijarros o volver la mirada hacia sus verdes campos. La ciudad antigua se extiende por debajo del castillo. Allí se encuentra el Templo bizantino de Ipapandí y el monasterio femenino en el que las monjas tejen las famosas sedas.

Existen en Kalamata numerosas iglesias entre las que destaca la más antigua, la histórica Iglesia de Ayii Apóstoli (s. XIII), donde se declaró oficialmente la Revolución de los griegos contra los turcos en 1821.

La vida nocturna de la ciudad presenta una gran animación, especialmente en la zona del paseo marítimo donde se hallan numerosas tabernas, y asadores típicos.

En la provincia de **Laconia** se encuentra **Esparta**, actualmente capital de la provincia, que es una ciudad sencilla construida en medio del valle de Eurotas, en el mismo lugar en que se encontraba la antigua Esparta. Todavía se conservan ruinas de la antigua Acrópolis. El valle de Laconia se extiende alrededor lleno de verdor en suaves laderas.

Cerca de Esparta y del monte Taigeto se encuentra la ciudad de **Mistra** que fue durante dos siglos la capital bizantina del

● Mitras. El Monasterio de Pantanasa (s. XV)

Peloponeso. De cara al visitante puede dar la impresión de ser una especie de ciudad fantasma, con muros de fortalezas desmoronados y sus iglesias en ruinas, pero ello provoca una fascinación que no deja impasible a quien la contempla. Subiendo se entra por la puerta del **Castillo de Mistra** construido por los francos en su intento de dominar el Peloponeso, sin embargo la Batalla de Pelagonía, en 1259, hizo que pasara a manos griegas.

A lo largo de los dos siglos de vida de Mistra como capital del Peloponeso se construyeron muchas iglesias y monasterios con cúpulas y capillas donde se encuentran representadas las tendencias de su pintura. En el recinto del Monasterio de Vrontochion se encuentra la Iglesia de Odiguitria, decorada por artistas de la antigua Bizancio (s. XIV) y cuyas pinturas, pese al deterioro del tiempo, han conservado toda su riqueza expresiva.

En una ladera se encuentra el Monasterio de la Pandánasa, construcción de comienzos del s. XV. La iglesia impresiona por su belleza y elegancia, por sus frescos de colores vivos y brillantes que están llenos de dinamismo. La Pandánasa, en la actualidad, es un acogedor monasterio de monjas.

En el extremo sur de la Península se encuentra **Monemvasia** ("acceso único"), una ciudad fortificada bizantina y veneciana. Su nombre hace referencia al estrecho terreno que antaño la comunicaba con el continente. Sus castillos, murallas, antiguas mansiones y callejones empedrados hacen creer que el tiempo se halla detenido en la Edad Media.

• Vista de la ciudad fortificada de Monemvasi

Las Islas Griegas

L as Islas Griegas ocupan una quinta parte de la superficie total de Grecia con un número aproximado de 2.000, de las cuales tan sólo alrededor de 140 están habitadas.

En general, la comunicación entre las islas y el continente es aceptable tanto por avión como por barco.

LAS ISLAS JÓNICAS

Formadas por siete grandes islas y algunos islotes se encuentran situadas en la costa oeste de Grecia, frente a Italia. Sus rasgos más comunes se hallan en la influencia histórica que han recibido de sus vecinos italianos, en sus maravillosos paisajes caracterizados por la presencia de la montaña, su abundante vegetación y playas de ensueño. En muchas de estas islas su paisaje se ha visto afectado por el paso de algún terremoto como el de 1953. También es común la creciente afluencia de turismo en todas ellas, si bien Corfú ya cuenta con dichas visitas desde hace años.

Corfú es la segunda isla más poblada de Grecia y una de las más espectaculares y famosas por su belleza. Con más de 200 km. de costa está muy bien comunicada, tanto por avión con Atenas como por barco con el continente y otras islas vecinas. Es eminentemente montañosa una vegetación muy rica, y con costas que ofrecen playas y paisajes muy atractivos para el turista.

La región del norte destaca por sus olivos, por ello la producción de aceite en estas islas es una de sus fuentes de riqueza.

Corfú también ha sido protagonista en la mitología griega desde que Ulises la visitara camino de Ítaca. A lo largo de su historia ha recibido notable influencia de diferentes lugares como Italia, con romanos primero y venecianos más tarde, e ingleses durante el s. XIX.

La bonita ciudad y capital de Corfú, en mitad de la isla, está protegida por dos fortalezas, una de origen bizantino y otra veneciana. Entre ambas se encuentra el centro histórico con tranquilas calles, antiguas tabernas y edificios de estilo veneciano. Entre otras podemos visitar las iglesias de Agios Antonios y Agios Spiridon, así como los museos de Arte Asiático, Arqueológico y Bizantino. También merece la pena pasear por el puerto y admirar sus vistas.

• Paisaje de Corfú, una de las islas más espectaculares por su belleza

• Corfú. El peristilo de Aquiles

En los alrededores de la ciudad se puede visitar en Kanoni la Iglesia de la Virgen Vlajerna (s. XVII) construida en un islote y comunicada con la isla por una pequeña porción de tierra. En Paleocastricha merece la pena el monasterio, el Castillo de Angelo Castro (s. XIII) y, ante todo, su playa. Otras zonas con buenas playas son Glifada, Arillas y Lakrones.

Paxos es la isla más pequeña de este archipiélago y se encuentra al sur de Corfú con la que se haya bien comunicada.

• Paxos posee unos precioso parajes naturales debido a su paisaje montañoso

Posee unos preciosos parajes naturales debido a su paisaje montañoso en el que los olivos cobran especial protagonismo. En esta isla también puede el viajero recrearse con los acantilados de Irimitis, y con sus calas cristalinas donde es posible darse un buen baño.

Leucas es otra encantadora y montañosa isla cuya principal característica radica en estar separada del continente por un pequeño canal. Este hecho le confiere el privilegio de estar bien comunicada por tierra, aunque por barco también lo esté con Ítaca y Cefalonia. A pesar de que los terremotos asolaron la isla, en general, se conserva en buen estado y pueden contemplarse los escarpa-

dos acantilados en el cabo Leucas y la turística región de Nidri. Cuenta la leyenda que aquí se estableció la poetisa Safo, quien en un fatal desenlace amoroso acabó sus días en el fondo de estos acantilados.

Continuando el recorrido hacia el sur se llega a **Cefalonia** que es la de mayor extensión, 935 km^2, del conjunto de islas. En su paisaje abrupto podemos encontrar una vegetación muy frondosa y variada. Sus maravillosas playas se extienden a lo largo de toda la costa y se caracterizan por sus aguas cristalinas y su fina arena. Notablemente afectada por el paso de los terremotos esta isla fue enclave estratégico de los romanos, pero también resultó de espe-

• La Isla de Leucas ofrece bellos paisajes al visitante

• Espectacular es la visita a la Cueva de Melisani con su increíble lago interior, en Cefalonia

cial interés para turcos, españoles, venecianos y británicos. Argostoli es la capital y posee el puerto principal. En sus alrededores se pueden realizar excursiones a las Cuevas de Drogarati, con maravillosas estalactitas, y a la de Melisani, con un increíble lago interior. También es aconsejable ir a contemplar el Castillo de San Jorge, punto clave de la isla hasta mediados del s. XVIII.

Otra ruta consiste en visitar pequeños pueblos pesqueros que, sin duda, atraen por su especial encanto, como Assos y Poros.

Ítaca es vecina de Cefalonia y patria de Ulises. Es una isla que alberga bonitos paisajes e idílicas playas. Su capital es Vathi y cuenta con un importante puerto que la comunica con varias islas y con Italia. Cerca de la capital se haya la Gruta de las Ninfas que fue lugar sagrado, y la Fuente de Aretusa.

Zante, situada algo más al sur, cuenta con 123 km. de costa y tiene comunicación aérea con Atenas y marítima con el Peloponeso y Cefalonia. Esta isla fue la peor parada por el terremoto de 1953, lo que no impide que todavía presuma de gran belleza. Como no podía ser de otra manera, el terreno es montañoso con verdes y frondosas llanuras que se acompañan de escarpadas costas y preciosas playas.

La ciudad de Zante es una elegante población con influencia veneciana y de nueva construcción debido a su pasado sísmico. Aquí podemos visitar la

● La maravillosa Cueva Azul de Zante

fortaleza veneciana, la iglesia y el Museo Bizantino.

Argasi es uno de los pueblos costeros más turísticos y cuenta con un bonito monasterio.

Citera, pese a ser la isla más alejada del archipiélago, comparte características muy comunes con el resto, tanto por su geografía como por su historia.

LAS ESPORADAS

En pleno mar Egeo se encuentra repartido este conjunto de islas. Se puede acceder a ellas a través de los aviones y barcos que parten del continente y de las islas vecinas.

Skiathos posee una hermosa naturaleza con una frondosa vegetación y excelentes calas a lo largo de 44 km. Su proximidad al continente, con comunicación aérea con Atenas y marítima con Volos, Pelion e islas cercanas, otorgan a Skiatos una situación y unas características privilegiadas que se traducen en ser una de las zonas más visitadas de Grecia. La ciudad de Skiathos es la capital y posee algunos rasgos distintivos que caracterizan a estas islas, como las viviendas blancas, en este caso con tejas rojas, los pequeños balcones y bonitos patios con flores, que en conjunto dan vida a las acogedoras calles de estos pueblos.

Entre sus playas más conocidas están Kukunaries, Burtsi y la nudista, Banana Beach.

Algo más al este se encuentra la Isla de **Skopelos** que comparte características similares con su vecina Skiathos. Es un destino vacacional ideal para los que disfrutan tomando el sol y dándose un baño en estas fantásticas playas de agua cristalina. Aparte del paisaje, una zona para recrearse es la capital del mismo nombre, con sus típicas casas blancas en contraste con el mar azul. Se puede visitar el castillo veneciano que data del s. XII y los talleres de alfarería local. Otros lugares de especial interés son la playa de Velani, la región de Glosa con hermosas vistas y numerosas ermitas e iglesias repartidas por toda la isla, entre ellas las de San Nicolás y San Atanasio.

Continuando al este se sitúa **Alonisos,** que deja entrever en su geografía el paso de distintas plagas y terremotos. Esto ocasiona que los turistas se decanten por otras islas, aunque esta romántica y solitaria tierra va floreciendo poco a poco.

Otra isla cuyo turismo va en aumento es la de **Skiros,** en cuya capital podemos visitar el recinto arqueológico y el museo de la ciudad. De recuerdo se pueden adquirir algunas de sus tallas en madera.

Al sur de las anteriores islas y junto a la costa griega se encuentra la gran Isla de **Eubea**, la segunda mayor de Grecia.

Como el resto de islas, Eubea posee buenas playas, algunos restos de su pasado y bellos paisajes montañosos. Las regiones más interesantes son Chalkis, la capital, Karistos, con su casa del Dragón, y la hospitalaria Kimi.

• Eubea. Playa de Jiliadu

• Alónisos, la ciudad antigua

Junto a la costa turca y al norte del Dodecaneso se extiende **Samos**, isla que basa su economía en el turismo.

A lo largo de su historia destacan personajes tan ilustres como Epicuro y Pitágoras. De aquí también procedían los principales responsables de la construcción de la Acrópolis bajo el mando de Pericles.

Como lugares de interés cabe mencionar la capital Samos-Vathi, con su Museo Arqueológico y Bizantino, y las playas de Kokari y Tsamadou. De entre

• La turística Isla de Samos

sus productos típicos merecen especial atención el vino y las joyas.

Al norte de Samos e Icaria, y cercana a la costa de Turquía, surge **Chíos**, una isla que no ha podido resistir el gran peso de una masiva afluencia turística. Su capital, del mismo nombre, cuenta con un concurrido puerto. También se puede dar un interesante paseo por la antigua fortaleza genovesa, el monasterio bizantino del s. XI, el barrio turco y su bazar.

Otros pueblos interesantes son Pirgi, Olimpic y Mesta.

Lesbos es una de las islas de mayor extensión de Grecia y pese a ello es una de las menos visitadas. Su capital, Mitilene, posee interesantes museos como el Arqueológico, Bizantino y del Egeo. Si bien su economía, en un pasado cercano, se basaba en la agricultura (aceite) y la industria, actualmente se está viendo desbordada por la cantidad de turistas que llegan a sus costas.

Lesbos fue cuna de personajes históricos como la poetisa Safo que pasó a la posteridad por su poesía erótica destinada a mujeres y su valiente actitud en no aceptar que la homosexualidad era un privilegio exclusivo de los hombres de su tiempo. Entre los restos arqueológicos que merecen una visita están

---

❦ Helios "el dios del sol" ❧

Representa al astro rey concebido como un hermoso joven, hijo de Hiperión y de Thía.

Su culto llegó a Grecia desde el Asia Anterior y fue un dios muy especial en determinados lugares, como la isla de **Rodas**, muy favorecida por su energía.

Cubierto con su casco de oro llevaba diariamente la luz a los dioses y los hombres, y por la noche se retiraba a Occidente, donde descansaba en un hermoso palacio y poseía el jardín maravilloso de los frutos dorados que eran custodiados por las doncellas llamadas Hespérides.

Su esposa era Perse (Destructora), hija de Océano; sus hijos fueron Eetes, rey de Cólquida y Faetón, que pereció en el loco intento de conducir el carro incandescente de su padre, arrastrado por los ardientes caballos del sol. Su hija fue la famosa hechicera Circe.

• Vista aérea de la pequeña Isla de Tasos

el Acueducto Romano de Moria y el puente de Kremasti. En toda la región hay lugares estupendos como la playa de Skala Eressou, el Monasterio de San Rafael de Thermi y el Castillo Museo de Molivas que, sin duda, no decepcionarán. Y para comprar productos típicos es recomendable el queso, el ouzo y las aceitunas.

Cercana al continente aparece **Tasos.** Esta pequeña y acogedora isla se caracteriza por su

• Sección del teatro para las ceremonias rituales en el Santuario de Gabiri (Samotracia)

belleza natural y sus playas poco concurridas (Kinira, Rachini y Makrgamos) debido a que el turismo todavía no ha hecho mella aquí. También se puede disfrutar de sus pequeños pueblos pesqueros.

Está comunicada con Kavala y Keramoti por barco.

La mítica Isla de **Samotracia** se sitúa al norte del mar Egeo y se puede acceder a ella por barco. Es conocida porque aquí se halló en 1863 la estatua de "la Victoria Alada" (s. III a.C.) que hoy se puede contemplar en el Museo del Louvre de París. También es famoso el Santuario de los Grandes Dioses en Paleopoli.

Por otro lado, merece la pena recrearse con las vistas que ofrece el punto más alto del Egeo como es el monte Fengari con sus 1.600 m. de altura.

LAS ISLAS CÍCLADAS

El conocido archipiélago de las Cícladas se reparte entre el mar Egeo y el mar de Creta, al este del Peloponeso. El origen de su nombre se debe al "círculo" que forman sus 56 islas en torno a la isla sagrada de Delos. Por su belleza y variedad son, sin duda, uno de los destinos favoritos de sus visitantes, si bien algunas de ellas se conservan todavía al margen de la corriente turística.

La civilización cicládica (3000– 1000 a.C.) tiene su origen en estas islas siendo una de las civilizaciones mediterráneas más antiguas. Por

• Paisaje de la Isla de Sifnos

• El puerto de Mikonos destaca por sus contrastes entre
sus barcos pesqueros y los yates de lujo

otro lado, muchos creen que el continente perdido de la Atlántida se encuentra hundido bajo estas aguas debido a los fenómenos geológicos como terremotos, acontecidos a lo largo de la historia. Según la leyenda Poseidón, dios del mar, propinó un golpe de tridente e hizo surgir estas islas. Este idílico conjunto de islas presenta en su variedad unas características afines como son sus blancas casas iluminadas con un fondo azul donde se funden cielo y mar. Si bien cada isla presenta unas particularidades determinadas

---

⊰ El famoso yogurt griego ⊱

La gran mayoría de los turistas se sorprende muy gratamente cuando prueba el yogurt griego. Rico, denso y cremoso en su versión comercial y más amargo en su versión casera (spitiko), se trata en todo caso de un alimento mucho más importante que el del resto de los países. No es una comida ni una bebida, se trata de una especie de paréntesis tradicional para separar la comida de las diferentes actividades diarias. Limpia y suaviza el paladar, de ahí que en el idioma griego, cuando el mar está tranquilo popularmente se suele decir que está "como un yogurt".

y aquí se detallan las más significativas.

En pleno corazón del Egeo se encuentra la conocida **Mikonos**, que acoge más de medio millón de turistas al año. Comunicada con Atenas, Tesalónica, Creta y Rodas por avión, y con el Pireo y otras islas próximas por ferry.

En la Edad Media estuvo en manos bizantinas para pasar después bajo el dominio veneciano. La isla también fue saqueada por los españoles, a finales del s. XIII, y por los turcos hasta su posterior independencia.

En su pintoresco paisaje sobresalen sus famosas playas de arena dorada y aguas cristalinas, sus casas encaladas con balcones adornados con flores y sus estrechas callejuelas. Símbolos de la isla son los famosos molinos de viento y el "pelícano Petros", que se mueve libremente por la ciudad.

Mikonos es una isla atractiva de día y de noche. Aquí todos los ambientes tienen cabida con especial tradición en el colectivo gay. Los amantes de la diversión encontrarán diferentes posibilidades donde pasarlo bien, pero también el lugar ofrece lugares tranquilos y apartados. Esta isla es relativamente cara, aunque existen sitios asequibles donde alojarse y degustar la comida tradicional.

La capital, del mismo nombre, alberga lugares tan interesantes para visitar como la zona de Kastro (castillo), donde

• Son numerosos los restos arqueológicos que se pueden visitar en Delos

se eleva el conjunto de iglesias de Paraportianí, entre las muchas que existen por toda la isla. También destaca la Catedral y la antigua Iglesia Católica. De entre sus museos es aconsejable visitar el Arqueológico, el Naval y el Etnográfico. Su puerto contrasta por los barcos pesqueros y los yates de lujo. Para comprar destacan porductos como las joyas y los objetos de arte popular.

De sus excelentes playas las más visitadas son Paradise, Super Paradise y Stéfanos. Más tranquilas, y de no menos calidad, están Kalafatis y Eliá.

En los alrededores de Mikonos merece la pena visitar Ano Merá, de interés por el Monasterio Panyía Turlianá y Plantis Yalos, pequeño puerto desde donde parten barcos a islas cercanas. Mikonos sirve de puente para visitar la pequeña Isla de **Delos** y su conocido santuario. Está considerada la isla más sagrada de la antigüedad y patria de Apolo y Artemis. Fue centro religioso y político en el Egeo (s. IX a.C.) para ser, con el tiempo, núcleo comercial.

Se encuentra desabitada y es tan sólo frecuentada por los turistas que se acercan a visitarla, ya que en ella, curiosamente, está prohibido tanto nacer como morir. Existen vestigios arqueológicos repartidos por toda la isla, entre ellos el Templo de Apolo, el Artemisión, la Vía Sacra, el Santuario de Dionisios y el Museo Arqueológico.

Al sur del archipiélago se encuentra la fascinante isla vol-

● La región de Lindos, en Rodas, es una bonita zona costera

cánica de **Santorín,** conocida también como la mítica Atlántida. Isla con personalidad propia debido a su morfología geológica, las últimas erupciones volcánicas datan de 1956, ofreciendo a sus muchos visitantes un entorno muy singular y una belleza salvaje. Contrastan las cúpulas azules de las iglesias y las casas blancas con su paisaje rocoso y oscuro, donde la historia ha dejado su huella con zonas cubiertas de lava.

Thera, capital de la isla, sorprende por estar asomada desde los acantilados dejados por el volcán a la costa. Desde el puerto se accede a la ciudad por medio de teleférico, burro o subiendo por su escalinata. Destaca el importante Museo de Thera con hallazgos prehistóricos y vasijas del s. VI a.C. Debido a la actividad volcánica, en Akrotiri se hallaron las ruinas de una antigua ciudad minoica sepultada por la lava, alrededor del 1500 a.C. Entre sus tesoros se albergaban fabulosos frescos de la época.

Iá merece ser visitada por su belleza peculiar y sus estupendas vistas, así como los islotes de Kamenes que destacan por su enclave natural.

Existen playas de arena negra y roja como las de Kamari, Arme-

• Interior de una típica vivienda en Santorín

ni y Baxedes, y los productos más típicos son la artesanía, los bordados y las alfombras.

En pleno Egeo se encuentra la mayor isla de las Cícladas, **Naxos**. Sus tierras fértiles con verdes valles y con montañas rocosas que desembocan en acantilados o en playas muy sugerentes le otorgan una belleza muy característica. Situada en la ladera de un monte se encuentra la capital, Naxos, en cuyo recorrido podemos encontrar variados restos arqueológicos de su nutrida historia. Entre estos están varias iglesias bizantinas, el Castillo bizantino y el Museo Arqueológico. Otros lugares de interés en la isla son, por su belleza, en el norte el pueblo costero de Apolona y las magníficas playas donde poder relajarse en Ayíos Prokopis y Kastraki. Entre las compras que se pueden realizar está el *kitro* que es una bebida cítrica, la xinotirá, o queso avinagrado, y la artesanía típica.

Ios, conocida por los isleños como Nío, es una bonita isla situada al sur de Naxos. De entre su paisaje cicládico, con buenas playas, paredes encaladas, molinos de viento e iglesias bizantinas de cúpulas azules, sobresalen los viñedos y los olivos. Es muy frecuentada por el turismo que tiene en estas playas y en su animada vida nocturna sus principales reclamos. De las muchas visitas interesantes que se pueden realizar se encuentra el puerto de Ormos, en la capital, la tumba de Homero, en el monte Eremitis, y las ruinas del Santuario de Psazí.

Justo al oeste de Naxos se sitúa **Paros,** cuyo paisaje es suave con abundancia de viñas. Fue centro importante en la civilización cicládica y es conocida por sus canteras de mármol desde donde se distribuía a toda Grecia. En la capital se puede pasear y visitar el puerto, el castillo veneciano y la Iglesia Bizantina de Katapoliani.

Nausa es uno de los enclaves más bellos y entre sus mejores playas está la de Kolimbizres, donde emergen de la arena rocas parecidas a esculturas. El valle de Petaloudes, o de las mariposas, es muy visitado por el gran número de ellas que pueblan su entorno de junio a septiembre y que dan colorido al paisaje.

Al este de las Cícladas, y cercana a las islas del Dodecaneso, se llega a **Amorgos,** isla rocosa con escasa vegetación pero con buenas playas. Sus antiguos moradores dejaron ricos vestigios arqueológicos de diferentes épocas repartidos por toda la isla. El núme-

• Preciosa cala en la Isla de Paros

• Monasterio Jozovitissa en la
Isla de Amorgos

ro de turistas va creciendo con los años, así como la infraestructura para recibirlos. En la ciudad de Amorgos se puede visitar la iglesia y el castillo situado en la cima del monte, y más al norte el Monasterio de Panayía Jozovitissa. Katapola es el puerto principal, pero el puerto de Eguiali también merece la pena ser visitado por la calidad de sus playas.

Muy cercana de Eubea se encuentra **Andros**, una de las mayores islas del archipiélago. En su paisaje irregular la nota predominante es la montaña que ofrece acantilados y barrancos,

así como zonas de poblados valles que desembocan suavemente en las costas formando bonitas y doradas playas. Su capital, Andros, es una poblada ciudad portuaria donde pasear se convierte en un placer, mientras es posible adentrarse en su castillo, sus iglesias y sus casas señoriales. En Gavrio se halla el puerto principal con su torre helenística Agios Petros. Entre sus playas más populares están las de Niborro, Paraporti y Batsi.

No conviene marcharse sin probar los dulces más tradicionales como el *amigdalotá,* hecho con almendras, y el *gliká kutaliú* de frutas confitadas.

• Mujer con traje típico en Andros

Siros está en el centro de las Cícladas y sirve de núcleo político y cultural de las mismas. La variedad en su paisaje es la principal característica. Con una larga tradición histórica se han hallado numerosos yacimientos arqueológicos.

La ciudad de Ermúpoli es la capital de la isla, cuyo puerto llegó a ser, en el siglo pasado, uno de los más importantes de Grecia. También destacan el Teatro de Apolo, el Ayuntamiento, la Catedral de San Jorge y el Museo Arqueológico.

En la parte sur de la isla hay muy buenas playas como Posidonia, Galisas y Bari, poco frecuentadas y por ello más atractivas.

Otras Islas Cícladas de especial interés turístico son **Folegandros, Sikinos, Anafi, Kea, Tirasia, Serifos** y **Kimolos.**

LAS ISLAS DEL DODECANESO

Las Islas del Dodecaneso se encuentran al sureste del mar Egeo, muy cercanas a la costa de Turquía. Esta proximidad ha ocasionado a lo largo de la historia numerosos conflictos entre ambos países. De hecho, su denominación procede de principios de este siglo, cuando doce de estas islas se enfrentaron contra los turcos recibiendo el actual nombre de Dodecaneso o "doce islas". Durante cuatro siglos, el archipiélago estuvo bajo el dominio del Imperio Otomano para pasar a continuación a manos italianas. Es en 1948 cuando el Dodecaneso pasa a pertenecer a Grecia.

Han recibido gran influencia italiana, cuestión que se puede apreciar en las conversaciones

Leyenda de Rodas

La leyenda cuenta que la isla de Rodas tuvo varios nombres como Ethrea, Macaria, Colimbria y Telquinia. En relació a este último, dice la tradición que Poseidón se enamoró de Alia, hermana de los habitantes de la isla Telquinos y tuvieron una isla que llamaron Rodas. Más tarde, ella se enamoró del sol y llamó a la isla con el nombre del astro rey. Por ello, cuentan que después de los tequilnos, la isla estuvo habitada por los hijos del sol que fueron audaces marineros.

• Puerto de Mandraki en Rodas

que se escuchan en italiano en esta zona. Una de las principales ventajas si se visitan estas islas es que, en general, todavía no se encuentran masificadas por el turismo.

La mayor y más popular Isla del Dodecaneso es, sin duda, **Rodas,** afortunada por su estupendo clima soleado y por su gran riqueza histórica y cultural. Se encuentra muy bien comunicada por la red de carreteras que recorren la isla, por avión, entre otros destinos con Atenas, Tesalónica y Mikonos, y en barco con El Pireo, Creta y otras islas próximas.

Creta ya contaba con asentamientos humanos desde la prehistoria. En la antigüedad va adquiriendo importancia, pero será entre los siglos V y III a.C. cuando alcance su ma-

yor apogeo y llegue a convertirse en un destacado núcleo político y comercial del Mediterráneo. Por sus tierras pasaron, dejando su huella, diferentes culturas como romanos, bizantinos y otros pueblos que no se amedrentaron a la hora de saquear la isla.

En 1309, Rodas pasa a manos de la Orden de Caballería de San Juan. Durante este periodo se edificaron numerosas fortalezas y murallas que se han conservado perfectamente con el paso del tiempo, así como los edificios góticos de la calle de los Caballeros, conocidos como "los cuarteles de los Caballeros de las Siete Lenguas". Finalmente Soleiman, el Magnífico, expulsó de la isla en 1522 a los caballeros de esta orden.

• Vista nocturna de la ciudad de Rodas

En el recorrido por la ciudad de Rodas sorprenden los contrastes entre su parte vieja, con influencia medieval, y su ciudad nueva con edificios funcionales y modernos. El puerto de Mandraki es antesala de los dos ciervos de bronce que parecen dar la bienvenida a sus visitantes en el mismo lugar donde, según la tradición, se encontraba el Coloso de Rodas (s. IV a,C.), gigantesca estatua de bronce de unos treinta metros de altura que representaba a Helios, dios del

• Molinos de viento en la ciudad antigua de Rodas

sol. Con un pie a cada lado del puerto, los barcos accedían a él por debajo de sus piernas. Hasta que, aproximadamente en el 230 a.C., un temblor de tierra fue la causa de su destrucción. En el muelle también se encuentra el faro de San Nicolás y los singulares molinos de viento.

Otros edificios interesantes que conforman la ciudad de Rodas son la Acrópolis de la Rodas antigua, el Ágora nueva y la Iglesia de la Anunciación.

Tanto en Lindos como en Trianda, poblaciones cercanas a la ciudad de Rodas, aparecen toda una serie de monumentos artísticos de diferentes épocas.

Las magníficas playas de Rodas son de arena o de guijarro y también hay algunas más solitarias que otras, además están bien cuidadas y ofrecen bastantes comodidades como la de Tsambika.

Entre sus productos típicos destaca el aceite y el vino.

Kos es la segunda isla más importante del Dodecaneso y la tercera en extensión con más de 100 km. de costa. Se trata de una isla con notable vegetación, playas y bastantes restos arqueológicos, lo que la hace ser un lugar apetecible para el turismo. En la época micénica destacó por su participación en

● El arte bizantino tuvo gran influencia en la Isla de Kos

la Guerra de Troya, pero es en el periodo bizantino cuando cobra protagonismo. La capital, Kos, fue levantada por los venecianos y en ella encontramos monumentos relevantes como el Ágora antigua, el Santuario de Afrodita, las termas romanas y gran cantidad de iglesias. En esta isla nació Hipócrates, padre de la medicina moderna. En los alrededores se puede visitar el Asclepion, desde donde se contemplan hermosas vistas y se recorren sus monumentos. Las mejores playas están situadas al sur, entre ellas Paradise, Kardamena y Stefanos.

• Los restos arqueológicos en la Isla de Kos son uno de sus principales atractivos

Patmos, la Jerusalén del Egeo, se localiza al norte del archipiélago y se caracteriza por su relieve montañoso y su buen número de playas. Esta isla es conocida porque en ella San Juan escribió el Apocalipsis entre los años 95 y 97 d.C. Sobre el paisaje blanco de sus casas se eleva solemne ante nuestros ojos el Monasterio-Fortaleza de San Juan (s. XI) dedicado en su honor. Se encuentra protegido por una muralla con almenas, y en su interior se pueden contemplar iconos bizantinos y diversos objetos que dan testimonio de su importante pasado. En la Capilla de la Virgen existen frescos que datan de principios del s. XIII. También se puede visitar la Cueva del Apocalipsis, donde se supone que el Santo tuvo la revelación para escribir el libro sagrado.

• El Monasterio Fortaleza de San Juan se eleva sobre el blanco paisaje de las casas de Patmos

72

• Arenas doradas y aguas cristalinas en las doradas playas de Patmos

Skala es el puerto típico donde se puede comer pescado y pasear gratamente. Al norte del puerto se llega a Kambos, una bonita localidad con mucha vegetación y una acogedora playa. Otras playas recomendadas son Grigos y Psiliamos.

Nombre original de la esposa de Poseidón y pequeña isla situada entre Rodas y Kos, **Simi** cuenta con montañas abruptas en la costa y suaves valles en el interior. En esta isla se desarrolló con gran tradición el comercio y la marina, sien-

• Vista de la montañosa y bonita Isla de Simi

do sus habitantes conocidos por su destreza en la construcción de navíos.

Egialos es uno de los puertos más pintorescos de las Islas del Dodecaneso, y desde aquí se accede a su parte alta a través de sus escalinatas.

En Panormitis se puede visitar el Monasterio del Arcángel Miguel del siglo XVIII con excelentes frescos bizantinos. Las playas más aconsejables son Yialós y Nanú.

Karpazos está localizada al sureste del Egeo y próxima a Creta y es, después de Rodas, la mayor isla del archipiélago. El norte de Karpazos es más inaccesible debido a la montaña, pero el sur al ser más llano posibilita una mayor concentración de la población. Sariá es un islote que estuvo unido a la isla con la particularidad de que alberga restos de una antigua ciudad. También Olimpos fue pueblo importante al servir de mirador y fortaleza contra los invasores piratas.

Entre sus encantadoras playas uno puede refrescarse en las de Anfiarti y Finiki.

Kalimnos, al norte de Kos, es también una isla con un relieve irregular en la cual la historia fue dejando sus frutos en forma de diversos yacimientos arqueológicos. Es conocida como la "Isla de las esponjas", ya que esta fue su principal fuente de ingresos hasta hace poco tiempo.

Kalimnos, su capital, está construida como un anfiteatro apostada en la ladera de la

Las esponjas de Kalymnos

Hoy día la pesca de esponjas es un arte a punto de desaparecer. Pese a ello, sigue formando parte del encanto tradicional de esta isla. La esponja "ímero" (cultivada) es diferente de la mayoría de las esponjas negras que se ven en el fondo del mar. Ésta es más suave y puede moldearse mejor. Las de mayor tamaño se utilizan para la industria y las más pequeñas en la cosmética. La preparación para su venta tiene dos fases: primero los pescadores las golpean para que suelten "la leche", y después las enfilan en una cuerda y las arrojan al mar para limpiarlas durante dos o tres días. La parte carnosa se disuelve quedando únicamente el esqueleto dorado de la esponja. En último lugar se comprimen para almacenarlas en sacos y proceder a su exportación.

montaña bajando hasta el puerto. Entre las visitas que se pueden realizar se encuentra el Castillo de los Caballeros de San Juan, la Iglesia del Cristo de Jerusalén e interesantes y bellas cuevas como la de Las Siete Vírgenes. Para darse un buen baño están las playas de Masuri y Vlijadia.

Otras islas de interés que se pueden visitar en el archipiélago del Dodecaneso son **Tilos, Leros, Jalki, Astipalea, Nisiros** y **Kastelorizo.**

CRETA

Cuna de la civilización Minoica, que se desarrolló desde el 2500 hasta el 1000 a.C., la Isla de Creta ha sido testigo de múltiples batallas con el fin de dominar su territorio. Su especial enclave geográfico y su constante mezcla de culturas han determinado gran parte de su historia. En la *Odisea* de Homero se encuentra ya una de las primeras referencias históricas a esta isla por su gran heterogeneidad.

Creta ocupa, por extensión (8.335 km^2), el quinto lugar entre las islas del Mediterráneo. Bañada por el mar de Libia al sur y por el Egeo al norte, la isla ha sido ocupada, y en ocasiones hasta devastada, por una gran lista de pueblos como los romanos, los bizantinos, los otomanos, los venecianos, los piratas, los turcos y los alemanes. Incluso, en 1839, las potencias acordaron su cesión a Egipto durante una década. Es-

• Palacio de Cnosos en Creta donde sigue viva la leyenda del minotauro

• Grecia se caracteriza por su tradición pesquera y su buena
comunicación marítima (Puerto de Heraklio en Creta)

tas circunstancias han ido creando en sus habitantes un fuerte sentimiento de resistencia hacia el exterior.

Creta es también una isla de contrastes por sus fértiles montañas, playas de arena dorada, grandes llanuras, pinares y bosques de palmeras, alimentados por un clima más suave que el de la Grecia continental.

La parte sur es prácticamente virgen y se encuentra repleta de lugares paradisiacos donde poder perderse, especialmente por sus playas. Mientras, en el norte se concentra la mayoría de su población. Aquí está ubicada su capital, **Heraklion**, que en la antigüedad era sólo un puerto hasta que en el año 824 los árabes fundaron la ciudad.

Durante la Edad Media los genoveses la rodearon de fortificaciones, siendo ampliadas más tarde por los venecianos. Las murallas dan prácticamente la vuelta a la ciudad y son bastante impresionantes con enormes bastiones que permitieron a los venecianos, en el s. XVII, resistir durante dos décadas el asedio de los turcos. Desde el bastión Martinengo se pueden contemplar hermosas vistas.

Heraklion cuenta con un importante comercio costero, sobre todo de aceite y jabón, y en los alrededores de la ciudad también se elaboran pieles y vino

En torno a una bonita fuente veneciana, Morosi, se agrupan los hoteles, los restaurantes y las tiendas. La época bizantina también ha dejado su huella en esta tierra, como lo demuestran la gran cantidad de iglesias, monasterios y el bello pavimento de mosaico de las basílicas. Al lado de la Catedral de Haghios Minas se encuentra la Iglesia Haghia Ekaterini, donde hay una de las mejores colecciones de iconos de Grecia. Otra visita que no se debe dejar de hacer es la del Museo Arqueológico que es, sin duda, el museo más rico de Creta especializado en antigüedades minoicas.

Esta ciudad vio nacer al ilustre pintor El Greco donde recibió su primera formación pictórica dentro del ambiente bizantino.

En cuanto a sus playas, en líneas generales, no son demasiado buenas pues están bastante sucias, y además las sobrevuelan demasiados aviones debido a su proximidad con el aeropuerto.

Situada a cinco kilómetros de Heraklion aparece **Cnosos,** ciudad principal de la civilización minoica y capital del reino del legendario rey Minos. Alrededor del 2000 a.C. se construyó un palacio que, según la mitología griega, contenía un laberinto donde se encontraba encerrado el minotauro, monstruo con cabeza de toro y cuerpo de hombre nacido de la relación entre la esposa de Minos, Pasifae, y un toro blanco regalo del dios Poseidón. Esto se debió a la negativa dada por el rey Minos al dios cuando éste le ordenó sacrificar al animal, haciendo

• Monasterio de Arkadi en Creta

• Vista del Puerto de Hania, una de las ciudades más antiguas de Creta

que Pasifae se enamorara del toro. El minotauro era alimentado en su encierro con jóvenes víctimas humanas que Minos exigía como tributo de Atenas, hasta que el héroe Teseo se dispuso a acabar con estos sacrificios y, con la ayuda de la hija de Minos, Ariadna, que se enamoró de él, acabó con el minotauro salvando también a los jóvenes condenados.

Con la construcción del Palacio de Cnosos, la civilización minoica llegó a su máximo apogeo, hasta que alrededor del año 1500 a.C. la erupción del volcán Santorín hizo que todas las construcciones quedaran destruidas.

En el año 1900, bajo la dirección del arqueólogo sir Arthur Evans, comenzó la excavación principal para encontrar los restos de este admirable palacio con soberbias salas de columnas iluminadas por tragaluces, que sigue provocando una gran fascinación en nuestros días

ℭ Las populares tabernas ℬ

Son sencillos lugares donde raramente darán la carta y existen precios anunciados. Como es la costumbre, el cliente va a la cocina acompañado del camarero para elegir lo que desea comer y todos los platos se sirven a la vez en la mesa. La cocina es casera, económica y sencilla.

Situada en el centro de Creta aparece la **meseta de Lassithi**, famosa por la cantidad de molinos de viento que la cubren y abastecen de agua la zona. Cerca del pueblo de Psichró se haya la Cueva Dhikteana, lugar donde, según la leyenda, nació Zeus.

Agios Nikolaos es una ciudad llena de movimiento, complejos hoteleros, restaurantes y turistas. Es un lugar en el que probablemente no se encontrará a un solo griego. Su encanto estriba en su pequeño puerto ubicado en una maravillosa bahía. Su mejor playa es la Municipal Beach of Almyros, cerca del centro, amplia y limpia.

A unos 12 km. de Agios Nikolaos se encuentra **Elounda**, que también cuenta con mucho turismo y un encantador puertecito. Desde aquí se puede hacer una excursión a la pequeña Isla de Spinalonga o "Isla de los Leprosos", donde se encontraba la última leprosería de Europa, en el fuerte veneciano reconstruido por los mismos enfermos que vivieron allí de 1903 a 1957. Hoy día está abandonado e impresiona bastante pasear por sus estrechas callejuelas.

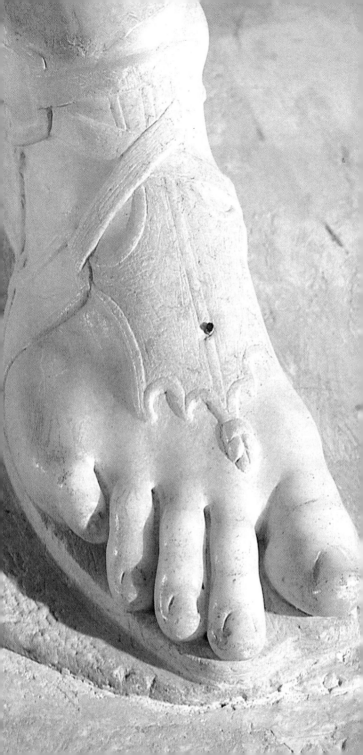

Guía Práctica

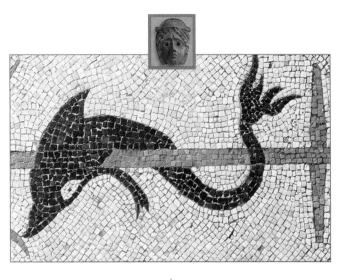

— Horario —

El horario oficial de Grecia va una hora por delante de la hora oficial del meridiano de Greenwich (ej: 12:00h en Grecia = 11:00h en Madrid).

De la misma forma que en la Unión Europea, el reloj se adelanta una hora durante el verano para aumentar el tiempo de iluminación solar.

— Cómo ir —

Grecia tiene buenas comunicaciones aéreas con los cinco continentes. A ella llegan numerosas compañías aéreas, teniendo la mayor parte de estos vuelos su destino en el aeropuerto **Hellenikon** de Atenas. Existen vuelos diarios desde Madrid con Iberia y Olimpic Airways.

En general, los turistas que llegan a Grecia en barco lo hacen desde Italia, o bien en cruceros internacionales desde diferentes partes. Si se dispone de embarcación propia existen múltiples puertos deportivos en los que los derechos de atracar y amarrar el barco vendrán determinados por la duración de la estancia, el tamaño de la embarcación y la época del año.

Por tierra se puede acceder a Grecia desde Europa a través de Albania, Macedonia y Bulgaria, o bien desde Asia a través de Turquía.

— Documentación —

Para entrar en Grecia procedentes de un país de la Unión Europea sólo se necesita el DNI (Documento Nacional de Identidad). Esta condición sólo es válida para la estancia máxima de tres meses.

— Aduanas y fronteras —

La Ley de Fronteras Griega contempla la entrada al país con toda clase de efectos personales. También se permite material fotográfico y de vídeo, aunque su uso está restringido en algunos casos. Lo que está totalmente prohibido es la exportación de objetos arqueológicos y ciertas antigüedades. Si tiene intención de llevarse alguno de estos objetos hay que dirigirse, previamente, al Servicio Arqueológico de Atenas, **Polygnoto 13**, para que fije el impuesto legal.

— Moneda —

La unidad monetaria es el *dracma* (dr) que consta de 100 *leptae*. La paridad de divisas es: 100 *dracmas* equivalen a 49,868 pesetas y 1 euro equivale a 333,65 *dracmas*.

Se puede introducir en el país la cantidad de dinero o de cheques de viaje que se desee. Los bancos abren sus puertas de lunes a viernes desde las 8:00h hasta la 13:30h, aunque en zonas turísticas algunos bancos abren desde las 9:00h hasta las 21:00h, incluso durante el fin de semana para facilitar el cambio de divisas. Para cambiarlas se puede hacer en cualquiera de las sucursales que existen repartidas por toda la ciudad y cuyo porcentaje de comisión es muy similar. La mayoría de los comercios, restaurantes y hoteles aceptan tarjetas de crédito, no obstante se debe preguntar antes de pagar.

— Clima —

Existe una gran variedad climática dependiendo de la región. Las regiones del norte e interiores tienen un clima semicontinental (inviernos fríos y veranos calurosos). Las islas del sur (Peloponeso y Ática) tienen un clima mediterráneo (verano largo, caluroso y seco).

El final de la primavera y el otoño son las mejores épocas para visitar Grecia ya que acompañarán días con sol, temperaturas suaves y pocos turistas.

La temperatura media en Atenas es de 10,5 ºC en enero, y de 28 ºC en julio.

— Indumentaria —

En verano es aconsejable ropa ligera con calzado cómodo, además de llevar jersey o chaqueta para las brisas nocturnas, sombrero, gafas y crema solar para protegerse de las altas temperaturas del mediodía.

Si se viaja a Grecia durante los meses de invierno, se debe llevar ropa de abrigo y paraguas, ya que las temperaturas oscilan entre los – 3 ºC y los 17 ºC, acompañadas a veces de lluvia.

En algunas regiones se deben seguir ciertas convenciones sociales al vestir. Para entrar en las iglesias los hombres deben llevar pantalón largo y las mujeres los hombros cubiertos. Su incumplimiento se considera una grave falta de respeto.

El nudismo es legal en algunas playas, aunque se debe realizar con discreción en determinadas zonas en las que socialmente no está muy aceptado.

En zonas turísticas, ningún turista llama la atención por el hecho de ir en pantalón corto o traje de baño, pero si lo hará en regiones de montaña con poco turismo.

— Sanidad —

No se necesita ninguna vacuna para entrar en Grecia, ya que ésta no tiene enfermedades endémicas. El agua es buena y potable en Atenas, pero en zonas costeras su calidad es inferior.

Existen farmacias de guardia durante las 24 horas del día. También existen servicios y hospitales para atender cualquier tipo de urgencia. El sistema sanitario griego puede ser utilizado por los turistas y sobre todo en caso de urgencia.

— Electricidad —

En toda Grecia el voltaje normal es de 220 voltios. Los enchufes son diferentes de la mayoría de los europeos, por lo que se necesitan adaptadores.

— Transportes internos —

En Atenas se puede realizar un recorrido en metro de 23 estaciones desde El Pireo hasta Kifisiá de manera cómoda y sin retrasos. El horario del metro es desde las 5:00h de la mañana hasta las 24:00h de la noche y el precio va de 100 a 150 *dracmas* dependiendo del recorrido. La estación central se encuentra en la Plaza de Omonia. La red de autobuses griega recorre prácticamente todo el país. Con los autobuses interurbanos se puede viajar por todo el Ática. Son de color anaranjado y tienen su salida en El Pedío Áreos. El precio aproximado, según el recorrido, es de 500 *dracmas* y el horario es de 6:30h a 20:30 horas. También existe una red de autobuses urbana con un precio aproximado del billete de 100 *dracmas* y que se puede adquirir en los quioscos. Funcionan de 5:00h a 24:00 h.

En el centro de Atenas se puede circular en minibus. Hay un servicio de autobuses que funciona también por la noche; son de color verde y van de Atenas a El Pireo.

Al coger un taxi hay que asegurarse de que el taxímetro se encienda al empezar y de no pagar por la parte del viaje anterior. La bajada de bandera cuesta 220 *dracmas*. Los taxistas suelen coger a 2, 3 y 4 clientes a la vez, si todos van más o menos a la misma zona, como si de un minibús se tratase.

Alquilar un coche resulta relativamente caro en comparación con otros países europeos y es

necesario el permiso de conducir internacional.

Las líneas aéreas **Olimpic Airways** son el operador de los vuelos interiores en Grecia. La mayor parte de las zonas del país están bien comunicadas con Atenas y algunas con Tesalónica, Creta y Mykonos. Estos vuelos son relativamente baratos.

Viajar en ferrocarril es otra forma cómoda y rápida de conocer Grecia, en tren normal o en coche cama.

Para viajar entre las islas se necesita coger los ferrys, son muy abundantes y llevan a cualquiera de las 140 islas habitadas. Las tarifas son muy razonables en los viajes largos, aunque proporcionalmente más caras para enlaces cortos entre islas.

— Cruceros —

Hacer un crucero es una de las formas más exóticas de conocer el país y sobre todo las Islas Griegas. Gran cantidad de ellos se organizan por el Mar Egeo, algunos se limitan al territorio griego y otros llegan hasta Venecia o Port Said. La duración puede variar desde un día por el golfo de Tesalónica hasta 14 días por el Mediterráneo Oriental.

También existe la posibilidad de fletar un yate que si bien no es nada barato, resultará más asequible si lo realizamos en grupo.

— Compras —

Por todo el país se puede adquirir una amplia gama de objetos con especial atención a joyas de oro y plata, artesanía popular, cerámica, ropa, tapices, etc.

En caso de realizar compras considerables es preferible hacerlas en la capital, ya que los precios son más accesibles que en las islas o en otras regiones.

— Horario comercial —

El horario de los comercios varía según el día de la semana y el tipo de comercio que sea. Generalmente abren a las 8:00h de la mañana, y los lunes, miércoles y sábados cierran a las 14:30h, mientras que los martes, jueves y viernes cierran a las 13:30h y vuelven a abrir de 17:00h a 18:30h.

— Fiestas oficiales —

Las más importantes, en las que casi todo está cerrado, son:

El día 1 de Enero, 6 de Enero, 25 de Marzo (Día de la Independencia. Aniversario del día en que el obispo Germanos alzó la bandera de la revolución contra los turcos en Kalavrita en 1821. Con desfiles militares en las principales ciudades), el primer lunes de Cuaresma (febrero o marzo), el fin de la Semana Santa (según el calendario ortodoxo), 1 de mayo (Día del Trabajo y Festividad de las Flores, 15 de agosto (Asunción de la Santísima Virgen), 28 de octubre (Día del "Ohi", Fiesta Nacional, la celebración patriótica más importante del año que rememora la victoria griega sobre el ejército invasor italiano en 1940. Con desfiles militares en las principales ciudades), 25 y 26 de diciembre.

Hay también gran número de fiestas locales, en zonas como Komotini, Xanthi y Kílkis en las que se celebra el 8 de Enero la "Ginecocracia", en la cual los hombres y la mujeres intercambian sus papeles.

— Propinas —

La mayoría de las facturas y pagos suelen llevar un 15% de recargo por el servicio prestado y en los restaurantes y tabernas varía entre el 5% y 10%. Tan importante como la propina es el reconocimiento de la calidad de la comida.

— Correos y telecomunicaciones —

El horario de las oficinas de correos abarca de lunes a viernes de 7:30h hasta las 19:30h horas y los sábados hasta las 13:00h, aunque la realidad es que estos horarios no se cumplen en muchos casos, sobre todo por la tarde.

Las tarifas postales sufren cambios constantes por lo que es aconsejable preguntar en la oficina de correos.

Para utilizar las cabinas telefónicas se pueden comprar "telecartas" en los quioscos que a su vez, en su mayoría, disponen de teléfonos públicos.

— Salir de noche —

La vida nocturna se concentra principalmente en las grandes ciudades como Atenas y Tesalónica, así como en zonas costeras. Los locales a los que se puede acudir son variados: bares como *Glamorous* y *Papakia* en Atenas, o discotecas como *Disco 14 y Paramount* también en la capital. En Tesa-

• Detalle de una típica "taberna" griega

Iónica son bastante conocidas **Amnesia** y **Smeraldo**.

La taberna es el local más popular para los griegos ya que en ellas se puede comer, beber y cantar. Entre las que tienen música griega en vivo en Atenas destacan: **Apanemia y Esperides**.

— Deportes y entretenimientos —

Grecia ofrece una amplia variedad de posibilidades deportivas y de ocio, tales como esquí acuático y de montaña, vela, submarinismo, windsurfing, pesca, golf, marchas, escalada, espeleología...

Otras posibilidades son visitar los bonitos parques nacionales y los tranquilos balnearios con hidroterápia.

— Dónde comer —

La taberna (*taverna*) es el punto de reunión por excelencia y sitio básico para degustar la cocina típica del país. Tanto en el estilo como en el menú son bastante parecidas unas de otras y tienen un precio asequible.

Otras opciones: **Estiatório**: restaurante con más nivel que la taberna y más caro; **Psistaría**: restaurante-barbacoa especializado en carnes de cerdo y cordero. **Psarotavarna**: especializado en pescados. **Ouzerí**: bar de aperitivos y licores.

En cuanto a los horarios de las comidas son parecidos a los de España, el desayuno de 7:00 a 9:00h, la comida de 13:30h a 14:30h y la cena de 21:00h a 23:00h, aunque pueden variar en algunos casos.

— Gastronomía —

Cocina mediterránea muy variada dependiendo de la región. Como ingredientes primordiales de esta cocina se encuentran el aceite de oliva, las verduras y las hortalizas. También se utilizan las salsas y las especies debido a cierta influencia de Oriente.

Entre los platos típicos destacan los **kodokithákia**, calabacines fritos, la **melitsánasálata** o ensalada con huevo, el **táramasálata**, paté de pescado o corzo y el **tzazili** compuesto de yoghourt, salsa de pepino y ajo. Un postre muy recomendado es el **baklavá**, un bollo fino con miel y nueces. No es habitual que sirvan postres en los restaurantes o tabernas pero sí en las *zachariplastía.*

El griego suele acompañar sus comidas con un licor típico anisado llamado "oúzo" y con el tradicional vino griego, el resinoso.

— Direcciones de interés —

Oficina de Turismo de Grecia en España (9:00 - 14:00h)
(Organismo Nacional Helénico de Turismo)
Alberto Aguilera,17-1ºizq
28015 Madrid.
Telf.: 91 5484889
Fax: 915428138

Información Turítica en Atenas
(9:00-18:30 h)
(Organismo Helénico de Turismo-EOT)
Amenikis, 2
Telf.: 3241081–3310437

Embajada de Grecia en España
Serrano, 110 - Madrid
Telf.: 914113345

Embajada de España en Grecia
Avda.Vass. Sofías, 29
10674 Atenas
Telf.: 917214885

Consulado de Grecia en España
Nápoles, 122-Barcelona
Telf.: 932462290

En internet:
www.gnto.gr
www.grecotur.es
www.atica.gr

Índice alfabético